추승현

독서에 울고 웃던 한 시절을 담았다.

인스타그램 @musangbaesu

미친
독서중독자의
일기

추승현

목차

정체성　8

1부 – 아무도 이해하지 않아도

2부 - 혼자가 되는 독서

정체성

최근 나를 작가라 소개하고 있지만 그보다 더 강한 정체성은 독자다. 하루 8시간의 시간이 주어지면 4시간은 글을 쓰고, 4시간은 책을 읽는다. 그렇지만 이건 대략 계산한 것이고, 실제로는 책을 읽는 시간이 더 많다. 작가로 활동할 수 있는 시간이 많지 않기에 쓰는 것보다 읽는 것에 시간을 더 할애한다. 어떤 사람은 세상살이도 복잡한데 책까지 읽느냐고 하지만, 나는 머리를 비우기 위해 책을 읽는다.

아는 지인은 독서가 일이 아니라고 했다. 당연한 말이다. 그렇지만 책을 읽고 글쓰기나 강연, 유튜브를 통해서 돈을 벌 수 있다. 독서 행위 자체는 돈을 벌어다 줄 수 없지만, 그 주변적 행위로 돈을 벌 수 있다. 블로그에는 내 삶을 응원하는 사람도 있다. 자신들도 매일 책 속에 파묻혀서 살고 싶다고 하면서 말이다. 내가 책에 그토록 파묻혀 사는 사람인지는 모르겠다.

나를 응원하는 사람 중에는 교수나 대학원생, 연구자도 있다. 이런 사람들이야말로 일을 위해 책에 파묻혀 살 것이다. 나는 무엇보다 책을 기호식품처럼 여기고 섭취할 뿐이다. 책으로 수혈하는 사람에 가깝다. 군대에서 스무 권가량의 책을 들여와서 읽는 내 모습을 본 한 동기는 내가 책과 결혼한 사람이라고 표현했다. 그 말을 듣고 그런 삶도 괜찮다고 답하니 지독한 놈이라고 했다.

권여선의 「이모」에는 집과 도서관을 오가며 독서중독자의 삶을 보내는 인물이 나온다. 그 인물은 도서관이 가까운 곳으로 이사까지 한다. 내 경우에는 도서관에 가기 위해서는 버스정류장으로 10분 정도 가서, 15분 정도를 기다린 뒤, 버스를 타고 20분 정도를 나가야 도서관에 갈 수 있다. 단기알바로 삶을 지속하면서 책 구매는 끊었다. 그래서 직접 도서관에 가서 발품을 판다.

왜 그렇게 많은 책을 읽는지 누군가가 물었다. 나는 그 자리에서 답을 할 수가 없었다. 처음 책을 읽었을 때는 어린 시절이었고, 한해 한해가 갈 때마다 이유가 바뀌었다. 어떤 때는 책이 위안을 줬고, 어떤 때는 책 읽는 시간 자체가 위안이었으며, 어떤 때는 지적 허영을 채워주었으며, 때로는 그 허영을 뛰어넘는 어떤 통찰력을 제공했다. 그래서 나는 다른 할 일을 미뤄가며 책을 읽는 데에 시간을 쏟아부었다.

사람들은 1만 시간의 법칙을 이야기하며 나름대로 성과가 있다고 할지도 모른다. 그런데 책을 그렇게 읽어도 삶은 크게 바뀌지 않았다. 그토록 책을 읽어 삶이 바뀌지 않는다는 사실을 알았다. 책을 비효율적으로 읽어서 그렇다고 할 수 있을지도 모르겠다. 그럴 수도 있겠다. 1만 시간의 법칙도 한 분야에 천착해야 얻을 수 있는 결과물이니 말이다. 책의 한 장르를 파고들지 않았다면 효과는 얻기 어려울 수 있다. 책을 좋아하는 사람도 여러 갈래로 나뉜다. 내 경우에는 잡식에 가까웠다. 잡식을 하면 다양한 교양을 습득할 수 있기에 좋을 수 있다. 그런데 교양은 책으로만 습득할 수 있는 건 아니다. 경험을 통해서도 얻을 수도 있고, 요새는 유튜브가 그 역할을 대신한다.

책에 빠진 사람은 책의 효과를 기대하지 않는다. 단지

책이라는 물성 자체가 좋아서 책을 수집하는 사람도 있고, 좋아하는 작가가 있어서 그 작가의 컬렉션을 모을 수도 있다. 어떤 점에서 책에 빠져 있는 시간이 좋아서 그 시간을 무한히 늘어났으면 하고 바라는 사람도 있다. 나 역시 이런저런 과정을 거쳤지만, 요새는 300페이지 내외의 단행본을 하루 습관처럼 읽는다.

자기계발서의 교훈을 따르고, 실행했다면 이미 많은 돈을 벌었을지도 모른다. 그렇지만 책을 읽고 기록하는 것만으로도 포만감을 느꼈다. 이것이 진정한 지적 허영이라고 할 수 있겠다. 세상에는 이해할 수 없는 취미가 있고, 그걸로 삶을 사는 사람도 많다. 등산가는 위험에도 불구하고 산을 오르고, 또 오른다. 아버지는 그런 등산가를 전혀 이해하지 못한다고 한다. 그래서 나를 이해하지 못하기도 한다. 제발 어디라도 나가서 일이라도 하길 바라지만 대부분 집에 붙어 있으면서 누워서 책을 읽는다.

삶을 살면서 그렇게 이해를 요구하지 않는다. 최근에 만난 사람 중 누군가는 목표가 없다고 했다. 어찌 보면 굉장히 배부른 소리다. 목표가 없다는 것은 이미 목표한 바를 이뤘다는 것을 암시하기 때문이다. 물론 애초부터 목표가 없었을 수도 있다. 그런 사람에게 가장 좋은 것이 독서다. 매달 나오는 신간만 읽기에도 시간이 모자랄 것이다. 그런데 독서가 아무리 좋은 취미라 해도 그게 맞는 사람은 생각보다 적다.

독서를 안 하는 시대라고 하지만 독서하는 사람도 꽤 많다. 블로그나 인스타 팔로우를 긁어모으면 수백 명이다. 이런 수치가 와닿지 않을지도 모르겠다. 내 경우에 일년에 300권 정도를 읽는데 나보다 더 많이 읽는 사람을 열 명 이상을 안다. 그리고 나보다 전문 분야의 수준에서 글을 쓰는 사람은 더 수두룩하다. 독서의 세계에 발을 들이면 나는 성문에도 진입하지 못하는 외지인이다.

예전에는 책에서 나오는 유식한 언어를 갖고 떠드는 사람을 존경했다. 그러다가 언젠가 그것이 지적 허영으로 느껴져 그들을 다소 미워했다. 막상 독서를 왕창 하게 된 이후로는 그들을 도저히 미워할 수가 없었다. 애초에 그만큼 책을 많이 읽은 사람들은 삶 전부가 책이기 때문에 책을 빼놓고 이야기할 수 없다. 그렇지만 애석하게도 대부분은 책을 읽지 않고, 책 이야기를 하면 귓등으로 흘려듣는다.

빈말로라도 책 이야기를 해보라고 판을 깔아줄 때 오히려 입을 다문다. 너무 많은 책을 읽어서 책의 타임라인과 내용이 뒤섞일 때가 많다. 어제 읽은 소설의 인물과 어제 본 드라마의 인물과 헷갈린다. 책을 읽고 기록을 남기므로 적은 대로 말한다.

이를테면 한강 소설가의 『작별하지 않는다』를 읽고, 이전의 소설가가 썼던 작품들을 돌아보면 흥미롭게 읽었지만, 책 자체는 재밌었다고 할 수 없었다. 그렇지만 이런 복잡한 이야기를 피하고 싶다. 우선 아는 책을 이야기해야 재밌게 대화할 수 있다. 특히 가장 좋은 대화 상대는 내가 감명 깊게 읽은 책을 감명 깊게 읽은 사람이다. 그런데 내게는 독서 편력이 있어 대부분이 아는 유명한 책을 이야기하면 반발심이 든다. 그것보다 좋은 책이 얼마나 많은데!

현실에서는 책을 읽든, 안 읽든 간에 서로 이야기가 통하지만 나는 영영 그런 감각이 휘발된 것처럼 산다. 그래서 나는 어느 쪽에도 끼지 못한다. 하소연을 털어놓는 것은 주로 블로그를 통해서 하고 있다. 이런 일련의 작업이 돈이 될까 싶다. 다수의 공감을 살 수 없으니 서평단에 응

모해도 봐줄까 말까다. 그토록 많은 책을 읽었지만, 나를 설명하는 언어를 획득하지 못했다. 그렇지만 최근에 유레카처럼 내가 그저 독서에 미친 사람이라는 걸 깨달았다. 그래서 이 글을 썼다.

아무도 이해하지 않아도

책 한 권으로 인생이 달라진다면

책 한 권을 읽고 인생이 달라졌다는 마법 같은 이야기가 있다. 예전에는 그런 이야기를 들으면 감동했지만, 지금은 그럴 리가 없다고 생각한다. 책으로 인해 사람이 바뀌었다면 그는 책을 읽어서 바뀌었다기보다 바뀔 동기가 필요했는데 책을 만난 것이다. 그런 사람은 어떤 동기를 만나도 바뀌었을 것이다. 그럼에도 책이 주는 힘이 있다. 다만 조건이 까다로울 뿐이다. 주변에 사람이 아무도 없고, 인터넷도 없고, 텔레비전도 없다면 책이라도 간절해진다.

그럼에도 인생을 바꿔준 단 한 권의 책을 꼽을 수 있을 것이다. 바야흐로 2011년, 대학 2학년 때였다. 그때는 한

참 슬럼프인 시기였다. 존경하던 교수님은 계약이 만료되어 대학을 떠났고, 새로운 교수님도 좋았지만, 이전 교수님의 공백을 메울 수는 없었다. 모든 게 잘못되었다고 생각하며 절망에 빠져들었다.

그러다 비평 카페 〈비평고원〉을 운영하던 조영일 평론가의 트윗에서 미셸 우엘벡을 알게 되었다. 우엘벡은 프랑스의 악명 높은 저자다. 그가 쓴 소설은 안티 페미니즘, 반이슬람계 소설로 분류되지만, 문학동네에서 책을 출간할 정도로 유명 작가다. 그것은 아마도 한국과는 거리가 먼 프랑스의 이야기이기 때문에 국내 정서상 우엘벡의 서술이 독특하게 받아들여지기 때문이지 않을까 싶다.

우엘벡의 책 중에서도 가장 유명한 책이 『소립자』다. 이 책이 마침 도서관에서 있어 읽었다. 그렇지만 처음 읽었을 때는 몇 가지 과학적인 지식이나 철학적으로 보이는 사유들이 섞여 있어 집중하기 어려웠다. 그게 2010년의 일이다. 그 뒤로 어째서인지 우울한 시기에 이 책을 다시 읽고 싶어졌다는 생각이 들었다. 좋아하는 평론가가 추천해 준 것이니 분명 무언가가 있을 것이라는 생각이 들었고, 그 점에서 다시 도전하고 싶었다.

책을 다시 읽은 순간 마법처럼 그 책의 문장이 술술 읽혔다. 소설의 문장이 여전히 어려웠어도 줄거리를 따라가는 데에 어려움이 없었다. 마치 빨려 들어간 듯 읽었다. 그렇게 혼곤히 책을 읽고 나니 어쩐지 세상이 달라진 느낌이었다. 책이 가리키는 내용이 정확히 어떤 내용인지는 알 수 없어도, 마음속에 무언가가 올라왔다. 그걸 당장 설명할 수는 없어도 내게 우엘벡은 중요한 작가로 자리매김했다.

그 후 우엘벡의 소설을 섭렵했다. 후속작들은 오히려 그의 전작보다 쉬웠지만 그만큼 감동이 오지 않았다. 그래도 『지도와 영토』는 주인공을 통해 예술가의 삶을 돌아볼 수 있는 인상적인 책이다. 작가 특유의 어려운 서술도 상대적으로 적은 편이므로 입문용 소설로 추천하고는 한다. 나머지 작품들은 노골적인 반이슬람계 소설이나 안티 페미니즘 성향이 드러나므로 추천하기는 어렵다.

『소립자』에서 그려진 인물은 기본적으로 남성 인셀이다. 이부형제인 브뤼노는 전형적인 인셀에 해당한다면, 미셸은 초식남에 가까운 유형이다. 그렇지만 이 소설이 단순히 인셀의 이야기만 담았다고 하기는 어렵다. 이들이 인셀에 접어든 동기는 부모님의 부재였다. 그들은 모두 각자 할머니 밑에서 자란다. 이것은 작가의 어린 시절이 반영된 이야기다. 우엘벡은 이슬람은 싫어하면서도, 이슬람 전통의 가족 제도에는 긍정한다. 이것도 사랑받지 못한 어린 시절에 대한 반영으로 보인다.

그의 소설은 사랑받지 못한 어린 시절을 토로하는 데 그치지 않는다. 우엘벡은 외로운 사람들이 고군분투하면서 어떻게든 자신에게 맞는 사랑을 찾아가는 장면을 그린다. 그 후 별안간 비극을 부여하며 끝은 결국 파국으로 끝난다. 삶이 반드시 비극이라고 할 수는 없다. 그렇지만 사람은 언젠가 죽는다는 사실이 우엘벡을 통해 다시 확인된다. 그렇기에 인간은 삶 속에서 빛날 수 있다고 이야기할 수 있다. 이것이 우엘벡이 전하는 메시지다.

내가 어렸을 때부터 책에 빠져들었던 것은 소비할 수 있는 문화가 그것밖에 없었기 때문이다. 그때 만일 스마트폰이 보편적으로 보급되어 있었다면, 내 꿈은 유튜버나 편집자, 개발자였을 것이다. 그렇지만 내 손에 쥐어진

것은 책이었고, 그 후 작가의 꿈을 키웠다. 유치한 말일지도 모르겠지만 책에는 세상이 있었고, 그 안에 깊이 빠져들었다. 그럴수록 현실 세상을 알고 싶었고, 또 그렇게 알게 된 이야기를 재조합해 사람들을 매혹하겠다고 꿈꿨다.

　나도 작가처럼 부모에게 사랑을 받지 못했다고 할 수 있을 것이다. 어렸을 때 우리 집은 가난했고, 아버지는 먼 곳에서 일을 하고 있었으며, 어머니도 일을 하고 있었기에 집에는 나와 형만 있었다. 어린 시절에는 어머니도 우리를 돌봐야 했으므로 비교적 일찍 집에 돌아왔다. 그렇지만 그게 여의찮으면 방학 기간에는 할머니가 있는 곳으로 보내기도 했다. 형은 그 시절을 보냈기에 할머니에 대한 애착이 있지만 나는 딱히 그렇지는 않다. 물론 그 경험은 중요하고, 소중한 기억으로 남아 있지만 어쩐지 그것만으로는 성에 차지 않는다.

　나에게 삶의 무게를 지었던 것은 가난이다. 적어도 가난하지 않았다면 우리도 가족과 함께 있는 시간이 늘어났을 것이다. 그래도 그때는 동네 친구들이 있었기 때문에 그들과 시간을 보내면서 함께 노는 것에 기쁨이 있었다. 그렇게 살다가 셋방살이를 하던 집이 재개발을 하는 바람에 이사를 갔다. 이사를 한 곳은 어느 산 중턱에 있는 집이었고, 이웃이라고는 〈나는 자연인이다〉에 나올 법한 아저씨뿐이었다. 그곳에서 십 년을 보냈다. 나는 그 시간이 영원할 것이라고 생각했다. 현실을 생각하지 않았기에 작가라는 꿈을 꾸기 쉬웠다.

스스로 『소립자』를 읽고 이해했다고 느낀 순간이 의아하다. 어떤 점에서 『소립자』는 가난보다는 인간적인 소외를 겪었을 때 더 깊이 이해할 수 있는 책이다. 예전에는 어떤 삶을 살아도 비슷한 이유로 힘들어한다는 점에서 위안받았던 것 같다. 그러다가 우엘벡 특유의 회의주의에 반했다.

내 삶이 힘들 때 다른 이의 삶도 좀 더 불행했으면 하는 바람일까. 꼭 그렇지는 않다. 심적으로 힘들었던 대학 시절, 나에게는 어떤 돌파구가 필요했다. 나에게는 종교처럼 섬길 수 있는 무언가가 필요했고, 마침 불가해한 그 책을 만났다. 그래서 그렇게 빠져들 수밖에 없었다. 그 후로 십 년 동안 좋아하는 작가로 우엘벡을 말하고 다녔지만, 이제는 그렇지 않다. 그건 하나의 과정이었다.

어떤 믿음의 연대기

독서가 부와 성공을 가져다준다는 믿음은 독서를 하는 데에 도움이 될지도 모르지만, 효과는 실제 증명된 바 없다. 나만 해도 부와 거리가 멀기 때문에 오히려 반증에 가깝다. 읽는 행위는 투입일 뿐이지 산출이 있어야 한다. 물론 살면서 독서가 도움이 될 때도 있다. 독서모임에서 한마디 얹을 수 있는 것과 잘난 척을 할 수 있는 정도다. 그게 삶에 실질적으로 얼마나 큰 도움이 되는지는 모르겠다.

아무 책이나 읽어서 그런 게 아닌가 할 수 있다. 독서가는 베스트셀러를 선호하지 않지만 미친 독서중독자는 베스트셀러도 읽는다. 베스트셀러는 많이 팔릴 만한 이유가 있다. 심지어 읽지 않더라도 팔린다. 베스트셀러를 보면 어째서 저 책이 저만큼 팔렸을까 하는 호기심이 든다. 그러한 호기심으로 책을 읽는다.

사실 어떤 책이든 읽으면 도움은 된다. 이를테면 불량식품도 식품이다. 가끔은 그런 불량식품을 맛있게 먹다가도 별안간 속이 쓰리다. 이런 책이 세상에 있다는 것에 개탄한다. 그래서 욕하는 글을 신나게 쓴다. 어떤 책을 이런저런 이유로 도저히 못 읽겠다고 한다. 그중 두 가지 유형만 꼽자면 무쓸모 유형과 시크릿 유형이 있다.

. 읽으면서도 무슨 소용이 있을까 싶은 책이 무쓸모 유형이다. 그런 책은 이미 아는 내용을 책으로 쓴 경우가 많다. 그렇지만 책의 효용만을 생각하면서 책을 읽지 않는다. 효용이 떨어져도 재미만 있으면 된다. 그렇지만 재미도 주관적이기는 하다. 가령 기존의 추리소설의 패턴을 베낀 소설이 있다고 하자. 추리소설 마니아라면 지루하다고 느낄 수 있지만, 그런 장르의 소설이 처음인 사람이라면 흥미진진하게 읽을 수 있다.

그래서 무쓸모 유형의 책은 꼭 책이 잘못이라기보다는 독자마다 책의 효용이 달라서 생기는 일이다. 마니아라도 그런 책을 킬링타임으로 읽을 수 있을 것이다. 문제는 도저히 재미가 없는 경우다. 재미가 없다는 것을 똑 부러진 이유로 설명하기는 어렵다.

다른 유형은 시크릿 유형이다. 책 『시크릿』은 시대를 풍미했던 베스트셀러여서 모르는 사람이 없을 것이다. 그렇지만 이제는 지나간 베스트셀러이니 모를 수도 있을 것이다. 책은 온 마음으로 믿으면 그 믿음이 이루어진다는 내용이다. 이후에 관련 서적과 레퍼런스가 쏟아지며 시크릿 열풍을 낳았고, 지금도 여전히 그 단어로 위안을 받는 사람도 있다. 이러한 믿음은 신 대신 알 수 없는 우주의 힘으로 대체한 것이 아닌가 싶다.

시크릿 식 믿음은 그 나름대로 장단점이 있다. 우선 아무것도 할 수 없는 절망적인 상태일 때 실낱같은 희망을 줄 수 있다. 때로는 삶이 너무 퍽퍽해서 아무것도 하기 싫을 때가 있다. 그럴 때 위로가 힘이 될 수 있다. 긍정적으로 생각하면 목표 설정을 분명히 하고, 그것에 맞춰 계획을 실행할 수 있는 긴장감을 유지하라는 잠언적 표현이라고 생각할 수 있다. 그렇지만 반대로 믿으면 이루어진다는 구호 자체가 사람을 해이하게 만들기도 한다. 자신의 상황을 객관적으로 파악하지 못하고 막연하게 이루어지리라 하는 믿음으로 무작정 밀어붙이다가 크게 깨질 수 있다.

이런 장르의 책이 2010년대 이후로 사그라졌다고 생각했는데 『한 번이라도 모든 걸 걸어본 적이 있는가』라는 책에서 이 책이 언급되는 것을 보았다. 이 책의 띠지에는 20대를 게임 폐인으로 지내다가 행정고시와 입법고시에 동시 합격한 저자의 수기라고 적혀 있다. 같은 게임 폐인 출신으로서 그가 어떻게 역경을 극복했는지 궁금했다. 그렇지만 글은 개인적 경험보다는 희망을 불어넣을 수 있는 일화들로 인생의 확답을 주는 내용으로 채워져 있다. 마치 성공 신화를 모아놓은 사례집에 가깝다. 긍정적인 이야기를 그러모으면 그게 힘이 될 것이라는 믿음이 강한 듯했다.

그중에 나온 이야기가 『시크릿』이었다. 『시크릿』을 언급하면서 그게 정말 실재하는 이론인 것처럼 쓴 초반 구절을 보고 질려서 덮었다. 그렇지만 나중에 다시 이 책을 여는 실수를 저질렀다. 그것은 정말이지 할 게 없는 명절 귀경길에서 읽을 책이 없어 급한 대로 전자책 도서관에서 이 책을 빌린 것이다. 킬링타임으로 시간을 보냈으니 나쁘지는 않았다. 그렇지만 내용은 이미 고등학생 때 많이 읽었던 유형의 자기계발서였다.

『시크릿』을 싫어하는 이유는 또 있다. 고등학생 때 학교보다 문학 창작 동인에 빠져 있었다. 문학이라고 하기에는 주로 소설에 치우쳐 있었고, 판타지 소설을 쓰는 사람도 있었다. 그중 한 명은 라이트노벨이라는, 일본에서 파생된 만화적 소설을 쓰는 친구가 있었다. 그는 매번 같은 소설을 고쳐 쓰면서 언젠가 자신이 유명해질 것이라는 포부를 가졌다. 그렇지만 어쩐지 그때는 문법이나 맞춤법이 틀렸다는 이유로 유치하게 그를 무시했고, 그것 때문에 그도 다소 위축이 됐다.

그러다 그가 별안간 『시크릿』을 읽었다고 했다. 자신은 그것을 분명히 믿고 있는데, 그것을 믿고 있는 자기 자신이 무서우니 자기한테 반박 좀 하라고 했다. 나는 장난이라 생각하고 일단 그의 말에 응했다. 믿는다고 해서 그것이 꼭 이루어지지는 않는다는 흔한 반박으로 대꾸했는데 그는 그것도 아직 일어나지 않은 일이라 확인할 수 없으며, 이뤄질 거라 믿으면 언젠가 이뤄질 것이라고 답했다. 그렇게 말하니 나는 더 이상 할 말이 없었다. 이런 저런 말을 해도 결국 믿으면 그만이라는 그의 반복된 대답에 결론이 나지 않은 채 이야기를 끝냈다.

말이 통하지 않자 몹시 답답함을 느꼈지만, 한편으로는 공감하기도 했다. 나 역시 자기계발서를 읽고 막연히 성공할 거라는 믿음을 가졌다가 깨진 경험이 있었다. 그런 믿음을 가지려면 우선 이루고 싶은 것이 있어야 한다. 그의 경우 동인에서 평가가 박했고, 가족도 소설가가 되겠다는 그를 만류하는 상황이었으므로 자신에게 힘을 실어줄 수 있는 대상을 찾았을지도 모른다.

오히려 그렇기에 나는 그런 식의 책이 더 유통되어서는 안 된다고 생각한다. 적어도 무쓸모 유형의 책보다 더 말이다. 물론 분서갱유처럼 다 없애자는 것은 아니다. 앞으로도 그런 책이 나올 것이고, 그런 책으로 위안을 받는 사람도 꾸준할 것이다. 어쩌면 내가 그런 장르의 책을 읽으며 할 수 있는 것이라고는 최대한 인상을 찌푸린 다음, 가장 최하점을 주는 것이다.

직장인 사이에 떨어진 독서가

요즘은 2, 30대를 묶어서 MZ세대라는 단어로 부른다. 이런 단어는 늘 생기고 사라지기를 반복하니 여기에 집착해서 뭐 하나 싶지만 사회에서 이토록 청년이 주목받은 적이 없다. 그렇지만 어쩐지 그 안을 들여다보면 예상한 대로다. 이를테면 현재의 MZ세대는 불만을 토로하기 바쁘고 타협할 줄을 모른다는 것이다. 그렇지만 30대에 가까운 90년대생들은 적당히 타협할 줄도 안다. 그럼에도 이들을 묶어서 MZ세대라고 하는 것은 좀 어색하다. 애초에 성장환경이 다르다.

성인이 되어 직장을 다니지 않으면 비슷한 세대를 만날 일이 드물다. 내 경우에는 모든 직장 생활 기간을 합쳐도 겨우 실업급여를 받을 조건에 닿을 정도다. 그러다 독서모임을 통해 직장인들을 만날 기회가 있었다. 내가 다니는 수원의 독서모임은 6년이라는 유구한 역사를 자랑하는 모임이다. 유튜브와 넷플릭스, 해외여행만으로도 시간 가는 줄 모르는 이 세상에서 읽은 책을 소개하는 모임은 어쩐지 우주를 탐사하는 것만큼이나 아득한 일이다. 그래도 사람들은 꾸준히 모였다. 이곳에 들어올 때부터 나는 막내였다. 지금은 막내를 벗어났지만, 여전히 20대의 비중은 적다.

평균 나이 30대의 직장인 독서 모임에 별안간 백수 한 명이 떨어졌다. 그러다 보니 모임에는 보고하지 않은 몇 가지 고초를 겪기도 했다. 나이 먹고 지금까지 뭐 하냐, 아르바이트라도 해야 하는 거 아니냐 등의 핀잔부터 불법 아르바이트를 하자는 제안까지. 온갖 잔소리와 훈수를 듣고, 심지어 사기의 유혹을 받으면서도 모임에 남은 이유는 그런 것들은 귓등으로 흘려들을 정도로 멘탈이 단련됐기 때문이다. 나에게 미래가 걱정되지 않냐는 질문은 쓸모없는 질문이다. 그런 걱정을 했다면 이미 지금처럼 살고 있지 않을 것이기 때문이다. 그렇지만 백여 명의 사람이 오가는 모임에서 이렇게 남아 있다보니 나중에는 사적인 질문을 받는 경우도 줄어들었다. 하더라도 친해진 뒤 조심스럽게 하는 경우가 많다.

나를 이해하지 못하는 사람들도 이해가 간다. 모임원들은 대부분 30대 직장인이다. 길게는 10년 넘게 자신의 직장에서 성취를 이루고, '일의 기쁨과 슬픔'을 온몸으로 받아들인 사람이다. 그런 사람이 일하지 않고 사는 나 같은 사람을 보면 별나라의 사람처럼 여기는 것도 당연한 일이다.

내가 모임 사람들과 그럭저럭 어울릴 수 있는 것은 모임에서 필요한 존재였기 때문이다. 모임은 한 달에 한 번씩 지정된 책을 읽는다. 책을 선정할 때 나의 추천으로 올라간 책도 많다. 물론 읽고 나서 어렵다고 말이 많아서 이제는 관여하는 일이 줄어들었다. 한편으로 독서 동아리 지원사업에 선정된 뒤 지원금을 운용하는 담당자를 맡기도 했다. 사회에서는 일하지 않는 것을 큰 결격 사유로 여기지만, 모임에서는 폐를 끼치지만 않는다면 그것을 문제 삼지 않는다.

모임 안에서 여러 일이 있었지만 딱히 나이나 직장이

모임에서 크게 걸리지 않는다고 생각했다. 그런 일들이 있었지만 스스로 외면했을지도 모른다. 모임은 늘 일요일 오후에 있어서 모임이 끝나면 사람들은 출근하기가 싫다며 직장인의 고충에 관한 이야기가 오가기도 했다. 아니면 월급쟁이라서 할 수 있는 쇼핑 지름 같은 라이프스타일에 관한 이야기가 나오고는 했다. 특히 모임 초기에 대부분 스몰토크로 이뤄지는 주제는 해외여행이었다. 다들 해외여행을 한 번쯤 다녀오고, 매년 한 번 이상 가는 사람들이라 여행 이야기가 나오면 대화가 끝없이 이어지고는 했다. 그 당시 나는 해외여행을 한 번도 가지 못했기 때문에 아무 말도 할 수 없었다.

어떤 사람은 이 모임에 있는 사람들의 대부분이 직장인 중에서도 상위에 속한다고 했다. 거기에 속하지 않은 나는 조금 민망했다. 그런 것에는 괄호를 치며 이곳에 남았다. 그렇다고 이들이 돈을 펑펑 쓰는 것도 아니었다. 때때로 지원사업이 나오면 지원하고, 무료로 책을 증정하는 이벤트가 있으면 채팅방이 떠들썩해지기도 했다. 모임을 하면서 그저 사회에서 잘 산다고 생각하는 사람들, 가령 대기업 직원이나 사자가 들어가는 직업도 어울리다

보면 같은 사람이라고 느꼈다.

그렇지만 때때로 이질감이 들기도 했다. 소비 스타일이야 당연하지만 책을 이해하는 내용이 다르다. 그중에서 가장 충격을 받은 것은 『멋진 신세계』 모임 때였다. 원시 사회에서 문명 사회로 온 존의 이야기는 『멋진 신세계』의 중요 이야기다. 존이 간 문명 사회는 태어날 때부터 계급이 정해져 있으며, 계급 각자의 역할을 평생 수행하면서 자신이 제일 행복하다고 세뇌당한다. 그야말로 기계적 삶의 끝판왕이다. 존은 이런 사회에 저항한다.

존은 셰익스피어의 작품을 감명 깊게 읽어 거기에 빠져들어 예술적인 감성이 풍부한 인물이다. 작가인 올더스 헉슬리는 문명 사회를 부정적으로 평가하고 있음에도 존을 매력적으로 그리지는 못했다. 그렇지만 책을 읽고 모임에 나온 사람들 대부분이 존을 이해할 수 없다고 하며, 책 속의 디스토피아 같은 곳에서 살고 싶다고 마음을 모았다. 당시 운영진인 한 사람은 아예 이런 세계에서 살고 싶다며, 이를테면 시계태엽의 장치가 되겠다고 선언했다. 나는 존이 지향하는 가치나 저항하는 이유에 대해 공감했기 때문에 그런 발언이 놀라웠다.

그 모임 이후에도 책에 관한 이야기를 나눌 때마다 항상 가치관이 충돌하고는 했다. 그래도 이곳은 의견이 다르다는 이유로 상대방의 의견을 무시하지는 않았기에 그런대로 모임이 진행됐다. 그렇지만 나는 조금씩 말을 줄였다. 어차피 책이 좋아서 모임을 하는 것이라면 책에 관한 재밌는 이야기만 나누어도 충분했다. 굳이 내용을 끄집어내어 누가 옳은가, 그른가 하며 다툴 필요는 없다고 생각했다. 그렇지만 내 생각은 대체로 소수의견이어서 그 자리에 있을수록 위축되는 느낌을 받았다.

독서모임은 수원에서 오래 자리를 잡은 턱인지 주변 대기업을 다니는 사람들이 유입되기도 한다. 이런 사람들의 특징을 전부 일반화할 수는 없지만 어쨌든 20대부터 대기업에서 일했기 때문에 사고하는 게 다르다. 삶의 어두운 구석을 자세히 들여다본 경험이 적다. 적어도 어린 시절을 그렇게 겪었더라도 그것을 자신의 성장 서사로 이야기하는 사람들이다.

자본주의에 대한 비판도 금기시된다. 왜냐하면 그들의 삶을 충족시키는 것이 자본주의이기 때문이다. 물론 요새는 사회 전반에서 금기시되는 분위기다. 사람은 자신이 살고 있는 인생의 궤적에서 가치관을 형성하고, 그것을 바탕으로 사물이나 현상에 관해 판단할 수밖에 없다. 세상은 넓어졌지만, 굳이 자신과 상관없는 다른 것을 알고 싶지 않아 한다. 일하기 바쁘고, 문화생활을 즐기기도 바쁘다.

독서모임은 교양과 지적 허영을 충족하기 위함이 아닌가 싶다. 물론 그것도 잘못된 게 아니다. 어쩌면 그런 이유로 시작하여 조금이라도 책을 읽는다면 나 같은 무명작가에게도 언젠가 기회가 돌아올 수 있다. 그렇지만 문득 그런 생각이 들었다. 요새는 인지자본주의라고 하여 공부해야 살아남을 수 있는 시대다. 직업이 있다고 하여 가만히 있다가는 뒤처지기 쉬운 세상이다. 그런 점에서 책을 생존 도구처럼 여기기도 한다. 독서를 그저 취미로 여길 수 없는 현실이 조금 씁쓸하다.

독서모임의 금기

독서모임은 아무래도 모임 어플을 통해 모이다 보니 유동 인원이 많다. 그럼에도 꾸준히 모임에 참여하는 사람도 있고, 그런 식으로 고정 멤버가 되기도 한다. 모임의 초창기 분위기는 독서모임만 하고 끝낸다는 분위기였고, 지금도 이런 분위기는 유지하고 있다. 이와 별개로 다양한 사람들이 모이기 때문에 빌런이라 할 수 있는 사람들도 종종 있었다. 그런 사람들은 여러 사람이 눈치를 줘 스스로 떠나거나 운영진의 상의하에 쫓겨나기도 했다. 그것 외에는 크게 장벽이 없다. 규칙이 있기는 하지만 늘 감시하는 곳이 아니기 때문에 딱히 눈에 크게 거슬리는 행동을 하지 않는 한 모임에 남아 있는다.

그렇지만 사람이 모이는 곳이기 때문에 사람 간의 금기시되는 것은 보통 여기서도 금기시된다. 이를테면 정치, 종교, 젠더 등 예민한 문제에 대해서는 금기시된다. 젠더 문제는 마침 모임 초기가 페미니즘 리부트와 맞물려서 초반에는 더러 언급되었지만, 그 이후로 점점 언급이 줄어들더니 암묵적으로는 금기시하는 분위기가 됐다.

내 정치 성향을 스스로 좌파로 분류한다. 그렇지만 이것이 명확한 것은 아니다. 어떻게 생각하면 리버럴 좌파에 가깝지만, 리버럴이라 해도 무한한 자유나 자본주의를 옹호하는 쪽은 아니다. 이렇게 말하면 현실적으로 그런 분류가 뭐가 중요하냐고 할 수 있다. 다 이론에 치우친 그들만의 리그라고 할 수 있다. 사실이 그렇고, 실제로도 이런 비판을 받은 적이 많아서 받아들이는 편이다. 그런데 어떤 점에서 좌우라는 구분은 아직까지 사회적으로 통용되는 부분이 있으므로 나도 어느 정도 이해의 편의를 위해 써먹는다.

좌파냐 우파냐, 진보냐 보수냐는 내게 있어 사회 변화의 방법론이나 변화의 강도 차이를 간단히 표현한 것이라 여긴다. 그러니까 모두가 변화는 필요하다고 여기는

데, 그중에서도 급진적이냐 점진적이냐 하는 차이에서 정치 성향이 갈라진다. 아니면 성장이냐, 분배냐 같은 경제 문제의 관점에서 나뉠 수 있다. 정규직과 비정규직에 대한 처우에서도 생각이 나뉠 수 있을 것이다. 그렇지만 성향이 기울어져 있다고 해서 각각의 사회 문제에서 인식이 모두 한 쪽에 쏠리지도 않는다. 그런 시대다.

나는 독서를 좋아하고 기본적으로 그에 관한 대화를 좋아한다. 그러니 이런 책을 읽어봤어? 하고 떠드는 것을 좋아한다. 책은 새로운 관점일수록, 또 내용이 그럴듯할수록 멋져 보인다. 그중에서도 사상가의 책을 읽고 떠드는 좋아했지만 그들의 사상도 구체적으로 뜯어보면 중구난방이므로 내 경우에는 중심을 잡아줄 인물이 필요했다. 그렇게 탐색한 결과 고른 사상가가 가라타니 고진이다. 여기서 가라타니의 사상을 말하면 분량이 한창 길어질 것이므로 생략한다.

간단히 소개하자면 칸트와 마르크스의 이론을 교차시킨 사상가다. 그런데 이렇게 설명하면 아무도 모른다. 사실 나도 잘 모른다. 아마 철학도 사이에서도 이견이 있을거다. 내게는 마르크스가 눈에 띄었고, 그의 사상을 파고

들 필요가 있다고 느꼈다. 자본가와 무산자를 나누어 자본가를 비판하는 것은 전통 좌파가 가진 태도다. 공산주의로 인한 부작용이 역사적으로 증명되었으므로 마르크스의 사상을 여전히 순수하게 받아들일 수 있냐고 할 수 있다. 이미 21세기 시작점에서 20년이 지난 시점에서, 한때는 한민족이었던 북쪽 나라와 대치하는 상황에서 공산주의 이론을 말하는 것부터가 난감하다. 모르는 사람들이 받아들이기에는 그저 마르크스를 신봉하는 사람이 다른 사상가를 통해 거짓 설교를 하는 것이라 생각할 수 있다. 이에 한 마디만 이야기하고 끝내려고 한다. 철학을 포함한 학계에서는 마르크스를 현대 학문의 큰 흐름으로 보고 있으며 여전히 연구 중이다.

이런 맥락과 관계없이 독서모임에서 마르크스에 관한 이야기를 꺼낸다는 것은 무척 위험한 일이다. 그것은 마치 사이비 종교를 홍보하는 것 같아서 나 역시도 일부러 언급하지 않는다. 이 모임은 수원에 있기 때문에 인근 대기업에 다니는 사람이 오기도 하고, 그러지 않아도 모임에 들어오는 사람 대부분은 안정된 직장을 갖고 있는 사람이다. 그렇기에 독서는 취미 정도로 생각하지, 독서로 세상을 바꾸려는 포부를 갖고 있는 사람은 없다. 아니, 요즘 시대에 누가 그런 포부를 갖고 있냐고 하겠지만 20대 때의 나는 그랬다.

사 년 넘게 독서모임에 활동하면서 여러 우여곡절도 있었고, 희로애락도 있었다. 자주 모이는 사람들하고는 대개 안면을 텄고, 개인 연락은 안 하더라도 모임에서 만나면 반갑게 인사하고 편하게 대화를 나눌 수 있을 만큼 친하다. 그러다 보니 무심코 실수를 저질렀다. 바로 피터 싱어의 『마르크스』를 소개한 것이다. 아무리 교양에 무관심하더라도 피터 싱어 정도는 기억해 두는 것이 좋다. 동물권에 대해 급진적으로 주장하는 학자이고, 그것으로 자주 언급된다.

나의 권유로 모임에서 『효율적 이타주의자』라는 피터싱어의 책을 읽은 적이 있다. 책은 기부에 관해서 전복적인 시선을 던짐으로써 인생을 어떻게 살아야 할지 질문을 던진다. 책에 대한 호응이 꽤 괜찮았다. 피터 싱어를 소개한 바 있으니 교유서가에서 나온 『마르크스』를 소개하는 것도 괜찮겠다 싶었다. 『마르크스』는 싱어가 마르크스를 소개하면서 자신의 관점으로 비판한 책이다.

중립적이면서도 현 시류에 맞게 정도 있게 비판한다는 점에서 인상 깊게 읽었다. 이 책을 읽고 소개한 날에는 마침 고정 멤버와 신입이 뒤섞인 날이었다. 그러거나 말거나 나는 소개를 마쳤다. 언제나 그렇듯이 사람들은 얌전히 소개를 들었다.

그렇지만 이날의 파급은 전혀 예상치 않게 흘러갔다. 성을 따라 '공'이라고 부르는 사람이 있었는데, 마침 그날 처음 모임에 온 사람이었다. 그 후 그는 모임에 정착했다. 마침 술을 좋아하는 덕분에 나와도 친하게 지냈다. 그렇지만 그는 대기업에 다니기도 하고, 취미도 나와 맞는 것이 없었다. 내가 인문학/문학이라는 확고한 독서 취향이 있는 탓이기도 했다. 그래서 공과는 별로 이야기를 나누지 않고 그저 술 멤버 중 한 명이었다. 그는 술을 좋아하지만, 워낙 빨리 마셔서 금방 취하기도 했다. 그런데 나를 보면 생각나는 게 모임 첫날에 들은 『마르크스』라면서 나만 보면 매번 마르크스를 외쳤다.

참 난감한 게 내가 마르크스를 좋아한다고 밝힌 것도 아니고, 그저 마르크스를 다룬 책을 소개한 것뿐인데 어느새 마르크스주의자 취급을 당한 것이다. 이런 농담 같은 상황에는 늘 그렇듯이 해명할 기회도 그다지 주어지지 않는다. 해명한다 해도 변명처럼 들릴 것이다. 그렇지만 공도 그런 상황을 이해한다는 듯이 대신 해명해줬다. 마르크스에 관해 이야기하는 게 나쁜 게 아니다. 다만 독서모임에서 그 이름이 나와서 신선한 충격을 받았다는 것이다. 그게 그 이야기이지 않나 싶다. 공이 매번 그 이야기를 꺼내면 왠지 모르게 움츠러들었다. 그 이후로 나는 다시는 유명한 좌파 사상가를 독서모임에 소개하지 않겠다고 결심했다. 그렇지만 좌파 사상가 중에 대중적으로 알려진 인물이 마르크스 하나밖에 없으므로 의미 없는 다짐이었다.

그런 한편으로 마르크스를 꺼내도 분위기가 싸늘해지거나 놀림거리가 되지 않는 모임을 만들 수는 없을까 하는 생각이 들었다. 그런 고민 끝에 21년도에 사회학 독서모임을 만들자고 생각했다. 그렇지만 이 모임을 오프라인에서 만들면 기존 모임을 배신하는 것 같고, 많이 모이지는 않을 것 같아서 운영하고 있던 블로그에서 온라인으로 모집했다.

호응이 부족할 것 같아서 사회 문제에 관심이 많은 사

람을 꼬드겨 그와 같이 모임을 꾸려나가기로 했다. 처음에 주제를 듣고 그는 회의적이었다. 그렇지만 모집을 하고서 많은 사람이 모였다. 같은 해에 다른 모임을 여러 개 운영했지만, 오직 이 모임만 살아남았다. 생각했던 모임의 운영 기간은 일 년이었지만 연장하기로 했다. 언제까지 사람들이 남아줄지는 모르겠다. 그래도 이 모임을 만들게 된 데에는 공의 공이 크다.

독립서점 체험기

코로나 이후로 인간관계가 정리되면서 사람을 새로 만나고 싶었다. 그렇지만 당장 사회적 거리두기 때문에 사람을 만나기 어려웠다. 그래도 단계가 어느 정도 완화될 것이 예상되어서 독립서점의 프로그램을 기다렸다. 지역 내에서 비교적 가까운 독립서점 두 곳이 있었고, 그곳들의 인스타그램을 팔로우하고 소식을 기다렸다. 그러다가 봄이 되어서 〈다락〉이라는 독립서점에서 모임을 재개한다는 소식을 들었다. 첫 모임은 시 강의였다. 시는 관심이 없었지만 그래도 모임이 고팠기에 갔다.

서점이 있는 곳까지는 버스로 한 번에 갈 수 없었고, 초행길이라 다소 혼선이 있었다. 어찌 도착했을 때는 이미 강의가 시작되어 있었다. 나는 낭패감을 느끼고 조용히 자리에 앉아 강의를 들었다. 시인은 프로그램을 통해 처음 알게 된 시인이었지만 유명 시인이었다. 강의를 듣고 Q&A를 했는데, 사람들이 질문을 어려워하자, 시인이 직접 모든 사람에게 말을 걸었다. 내 차례가 되자 시인은 어떻게 왔냐고 물었다. 나는 사람들과 친해지기 위해 왔다고 솔직히 답하는 대신 시 창작에 관심이 있는데 마침 지역에서 이런 자리가 열려서 왔다고 답했다.

그 후 강의가 끝나고 사람들은 뿔뿔이 흩어졌다. 서점의 단골손님으로 보이는 몇몇 사람만 주인과 인사를 나눴다. 이곳은 뒤풀이도 안 하나 싶어 내심 당황했다. 당시에 거리두기 단계로 인해 22시 이후면 서점 문을 닫아야 했는데, 행사가 21시에 끝났기 때문에 뒤풀이를 하기에도 애매했다. 집으로 가면서 이곳을 계속 와야 하나 고민했다.

이런 식으로는 사람들과 거의 친해지기가 힘들다는 사실을 이전 모임을 통해 알고 있었다. 한편으로 서점 주인이 이러한 방침을 내세우는 것도 대략 예상할 수 있었다. 아무래도 독립서점에서 사람들이 친해졌다가 다투거나 분쟁이 생기면 서점에서는 손님을 잃을 수도 있기 때문에 위험부담을 감수하고 싶지 않을 것이다. 나중에 알고 보니 서점 주인의 성향 자체가 손님과의 친목을 좋아하지 않는 편이라고 했다.

이후에 있을 행사에 갈 마음은 반반 정도였다. 매력적인 행사가 아니라면 굳이 가야 할 이유가 있을까 싶었다. 그렇지만 마침 다음 행사의 강연자가 노명우 교수였다. 노명우 교수는 유명한 사회학자다. 그의 에세이를 재밌게 읽었고, 사회학 독서모임을 운영 중이었기 때문에 굳이 참석하지 않을 이유가 없었다. 그래서 참가 신청을 했다.

독립서점의 모임은 두 번 진행됐다. 한 번은 책을 읽고 모여서 서점 주인의 진행 아래에서 이뤄지는 토론, 나머지 한 번은 책의 저자를 초청하여 이뤄지는 강연이다. 보통 토론을 먼저 하고, 이후 강연을 진행하는 식이었다. 지정도서는 『세상 물정의 사회학』이었다. 읽고 새삼 쉬운 내용이라고 생각했다. 사회학 입문용으로 적당하지 않을까 싶었다. 그런데 막상 토론을 하니 어렵다는 반응과 현실적이지 못하다는 반응이 대부분이었다. 저자가 강단에 있기는 해도 현실 사회 문제를 이야기하기 위해 쓴 책이므로 어느 정도 쉽게 썼는데, 그것도 어렵고 비현실적이라고 하니 좀 당혹스러웠다. 그래서 읽고 준비했던 이야기의 절반도 못했다.

　나도 어떤 분야의 책을 익히기 전까지는 그 분야에서 말하는 내용이 무엇인지 이해하기 어렵기 때문에 그런 반응이 이해는 됐다. 이제는 워낙 책을 너무 많이 읽다 보니 어떤 책을 읽어도 배경 지식이 어느 정도 있어 금방 이해하는 편이다. 그렇다 보니 내가 아는 이야기를 다른 사람도 알고 있다고 착각할 때가 많다. 입문했을 때를 생각하면 사람들과 같은 반응도 이해가 된다. 그렇지만 주제가 사회학이다 보니 사회를 바라보는 관점 자체가 다르다는 느낌을 받았고, 그 느낌이 내게는 충격으로 다가왔다.

　독립서점에서 진행되는 모임은 매번 사람이 바뀌겠지만 매번 오는 사람들의 이야기를 들으면 이 독립서점에 오는 사람들의 성향을 파악할 수 있었다. 사람들은 책에 관심은 있지만 나처럼 중독자 수준은 아니었다. 물론 이는 독립서점의 위치도 한 몫 했다. 서점이 있는 위치가 애매해서 인근에 독서가가 있다 하더라도 많지 않을 것이다.

독립서점에서 나와 비슷한 사람을 만날 수 있지 않을까 설핏 기대했지만, 그런 기대는 무참히 깨졌다. 큰 기대는 하지 않았지만 그래도 실망했다. 그래서 앞으로 독립서점을 계속 나와야 할 것인가 고민했다. 그러다 다시 한번 서점주인이 큰 프로젝트를 열어서 다시 참여하게 됐다.

그 프로젝트는 박채란 작가가 진행하는 한국 여성 소설 읽기 모임이었다. 마침 나도 한국 여성 소설에 관심이 있었고, 모임에서 진행할 책인 『시선으로부터,』와 『딸에 대하여』를 흥미롭게 읽었으므로 이에 관해 사람들과 이야기를 나누고 싶었다. 모임은 3개월 동안 진행되었다. 중간에 코로나 4차 유행으로 인해 몇몇 모임은 갑작스레 온라인 모임으로 전환되었지만 작가님의 설명과 진행도 훌륭했고, 사람들도 성실하게 참석했고, 그동안 읽지 못했던 소설을 읽을 수 있어서 좋은 기억으로 남았다.

그 외에도 작가 강연도 매월 진행했는데 서점 주인의

안목을 알 수 있었다. 최근 젊은 작가 중에 인기가 많은 문보영 작가를 섭외한 것이다. 국내 문학가 중 가장 좋아하는 작가였기 때문에 당연히 참여했다. 그 후로도 섭외한 작가 라인업이 좋아 매월 행사에 꾸준히 참여했다. 그렇게 해서 그곳에서 친해진 사람이 생긴 것은 아니지만, 가까운 지역에서 유명 작가를 만난 것만으로도 큰 행복이었다.

서점 주인도 고민이 많을 것 같다. 유명한 작가도 막상 베스트셀러 작가가 아니면 상대적으로 덜 유명하기 때문에 참여자가 적다. 나 역시 모든 작가를 아는 것은 아니기에 매번 참석한 것은 아니었다. 그렇지만 한편으로 서점 주인의 안목을 믿고, 그만큼 신뢰가 쌓여 있어서 그걸 믿고 오는 단골 손님도 있다.

서점 주인은 손님이 많지 않아서 걱정하기도 했다. 아무래도 손님을 모으려면 진입 장벽이 낮은 게 중요하다. 그렇지 않으면 사람들은 지레 겁을 먹고 찾아 오지 않는다. 서점이 있는 지역은 독서 인구가 적어 보이기에 사람을 모으기가 쉽지 않을 것 같다. 그럼에도 책을 사랑하는 사람은 어디에든 있기 때문에 고정 멤버가 조금씩 더 생기지 않을까 기대한다.

　문보영 작가의 작품으로 토론을 하는 날, 거리두기 4단계가 발표됐다. 당일 모임은 가능했지만, 이후의 프로그램은 온라인으로 전환되거나 엎어질지도 모르는 상황이었다. 서점 주인은 속상했는지 술을 먹자며 샹그리아와 맥주, 그리고 간단한 안주를 꺼냈다. 마침 참여한 인원도 많지 않아서 서로의 속 얘기를 했다. 특히 코로나 시기의 서점 주인의 하소연을 들었다. 그 힘든 시기도 어느 정도 지났다. 요새는 바빠서 그곳을 방문하지 않지만 들려오는 소식으로는 열심히 운영하는 것 같다. 가능하다면 나도 그곳에 갈 수 있을 때는 가려고 한다.

싫은 책을 소개해도 관심은 받고 싶다

인스타그램에서 책을 소개해야겠다고 생각한 것은 내가 할 수 있는 일이 그것밖에 없었기 때문이다. 집 밖에 잘 나가지도 않고, 특별한 활동을 하는 것도 아니다. 하지만 책은 많이 읽으므로 내가 보여줄 수 있는 것은 책뿐이다. 블로그에도 책 관련 글을 올리므로 인스타그램에도 올리면 되지 않을까 했다. 그렇게 해서 글을 올렸지만 좋아요를 누르는 사람은 대부분 품앗이를 받기 위해 누르는 사람이 대부분이었다.

하긴 그럴 수밖에 없다. 내가 읽은 책들은 철학적이거나 대중적이지 않은 책이 많기 때문이다. 딱히 양질의 책을 읽으려고 한 것은 아니다. 다양한 책을 읽는 것을 좋아할 뿐이다. 그 후 읽은 책은 모조리 기록으로 남겼다. 의도한 것은 아니었지만, 다른 사람이 보기에는 하나의 포트폴리오라고 생각했다.

그렇게 생각하니 기록을 좀 더 눈에 띄게 남기는 것이 어떨까 싶었다. 그래서 읽은 책을 독서 어플에 남기고, 그것을 여섯 권 단위로 캡처해서 올렸다. 캡처에는 각 책의 점수가 있고, 책마다 간단한 코멘트를 남겼다. 블로그 사람들의 반응은 괜찮았다. 어떤 책을 읽어야 할지 모를 때 많은 참고가 됐다는 이야기를 들었다.

문제는 인스타그램에는 해당 책을 쓴 작가도 있다는 것이다. 요새는 작가도 독자와 소통을 위해 인스타그램 계정이 있다. 그들은 자신의 책이나 이름이 달린 태그를 찾아 스토리에 올리기도 한다. 책을 읽고 감상을 남기는 사람은 많지 않아 결국 자신에 관한 정보를 찾아보는 작가라면 내 글까지 찾아 읽게 된다. 보통 신간 위주로 리뷰를 올리는데, 나는 사람들이 잘 읽지 않는 구간까지 읽는다. 그러다 보니 가끔 작가의 좋아요나 댓글을 받기도 한다.

작가의 서비스이기는 하지만 어쩐지 마음이 불편하다.

나는 책을 평가하는 기준이 박하다. 연간 평균 삼백 권의 책을 읽는다면 그럴 만도 하지 않을까. 그렇게 책을 읽어도 별로 남는 건 없다. 그저 내게 맞는 책 몇 권을 찾기 위해 그렇게 많은 책을 읽는지도 모른다. 그러니 그럭저럭 읽은 책에 좋은 감상을 남길 수가 없다. 오히려 글의 분량을 채우기 위해 책에 대한 감상을 억지로 쓴다. 그런데 대충 쓴 글에 작가가 좋아요나 댓글을 남긴다. 그렇게 생각하면 나는 성의 없는 독자다.

언젠가는 악평에 가까운 감상을 남긴 적이 있다. 그 책은 독서법에 관한 책이었는데, 실제로는 에세이에 가까웠다. 내 취향에는 별로 맞지 않았다. 저자는 세간의 반응이 좋았는데 내 반응은 부정적이니 내가 틀렸다는 식의 댓글을 달았다. 반발심이 들면서도 조금 미안했다. 어쨌든 작가 본인이 읽을 거라고 쓴 글은 아니었기 때문이다. 어떤 책이든 누군가에게는 도움이 될 수 있다. 단지 나에게 도움이 되지 않을 뿐이다. 글을 쓸 때 그런 전제를 깔아둔다. 그렇지만 작가가 저렇게 방어할 정도라면 어지간히 상처가 되지 않았나 싶다. 긁어 부스럼을 만들고 싶지 않아 애써 댓글을 무시했다.

SNS는 사적 영역이라 생각하기 쉽다. 그렇지만 해시태그를 다는 순간 공적 영역으로 넘어간다. 그렇다고 해시태그를 포기해서 나를 찾아올 수 있는 길을 끊어버리고 싶지 않다. 나도 누군가에게 일부러 상처를 주기 싫지만, 그렇다고 그것을 눈치 보느라 거짓말을 하고 싶지는 않다. 싫은 책은 소개하고 싶지만 관심은 받고 싶다. 안 좋은 평은 작가가 걸러 읽었으면 하는 바람이다. 내 생각이 절대적으로 옳다고 생각하지 않는다. 판단은 글을 읽는 각자의 몫이다.

이후로도 감명 깊게 읽지 않은 책에 감상을 남기는 경우가 종종 있다. 그러다가 일이 바빠져서 감상을 남기기가 어려워지면서 독서기록은 아예 비공개로 바꿨다. 그렇게 하고 나니 굳이 읽은 모든 책에 대해 감상을 남겼는지 스스로 이해가 되지 않는다. 물론 나는 강경한 완독주의자이고, 그것을 소개해야 한다는 의무를 느꼈다. 참으로 이상한 고집이었다.

아는 지인의 부탁을 받거나 서평단으로 서평을 쓸 때는 비겁해진다. 아무리 그 작가나 출판사가 좋다고 하더라도 책이 별로인 것은 어쩔 수 없다. 그래도 억지로 감상을 남겨야 하니 혹평을 줄이거나 돌려쓴다. 어쨌든 그럴 수밖에 없지 않은가. 애초에 서평단 같은 시스템을 선호하지 않는다. 물론 서평단에 잘 뽑히는 것도 아니지만 말이다. 적어도 서평단을 할 거면 읽고 싶었던 책에 참여하려고 하는 편이다. 그런 경우가 아닌 이상 읽기 싫은 책을 억지로 읽으며 감상을 남기는 것은 고역이다.

서재와 도서관에 관한 낭만

　지역 독서모임에서 만나 결혼을 하는 커플과 이야기하다가 서재에 관한 이야기가 나왔다. 서재를 꾸밀 거라고 하기에 책을 읽는 공간이라고 생각했는데, 컴퓨터를 놓고 작업실로 사용한다는 것이다. 물론 그들도 책을 읽기 때문에 책은 비치할 것이다. 옆에 있는 다른 사람들도 현재는 서재의 의미가 그런 쪽에 가깝다고 말해주었고, 나는 충격을 받았다. 그러면 왜 굳이 작업실이라고 하지 않고 서재라고 부를까.

　최근에 50문 50답을 했다. 그 질문 중에 자리가 남는 방이 있으면 그 공간을 무엇으로 활용할 것인지에 대한 질문이 있다. 내가 할 수 있는 선택지는 세 가지였다. 드레스룸도 있고, 사양 좋은 컴퓨터를 가져다 놓고 PC방처럼 꾸밀 수도 있다. 로망은 역시 서재다. 그렇지만 현재 갖고 있는 책이 많지는 않다. 백 권가량 소장하고 있다가 나눠주거나 팔아서 급격히 줄어들다가, 최근에 다시 조금씩 모으는 중이다. 다독가치고도 소장한 책이 적은 편이어서 직접 셀 수 있을 정도인데 굳이 세지는 않았다.

　내가 생각한 서재의 로망은 책을 채우지 않는 것이다. 다른 사람이 생각하는 작업실 정도가 내가 생각하는 서재일 수도 있겠다. 그렇지만 책을 채우지 않은 서재를 이야기한 것은 그저 튀고 싶어서다. 요즘 코로나로 인해 화상회의가 활발해지면서 자신의 방을 보여주는 경우가 많다. 모임에는 책을 많이 읽는 사람도 많기 때문에 책이 가득한 책장 앞에서 화면을 송출하는 사람도 종종 봤다. 그걸 보면 부럽다는 생각이 든다. 서재가 있다는 것은 자기만의 방을 가질 수 있는 여유가 있다는 증거다. 반대로 책을 채우지 않는 서재는 뭔가 어색하고, 말 그대로 쓸모없다. 그렇지만 쓸모없는 것을 하는 것도 그만한 여유가 있어서 가능한 것이기도 하다.

　책이 없는 서재를 보면 작업실을 곧장 떠올리지 않을

까. 이제는 작업실이 서재의 자리를 대체한다고 생각하면 슬프다. 책을 읽는 공간에 대한 수요는 점점 줄어들고 있다. 〈화씨 911〉과 같은 근미래에는 서재가 작업실의 다른 이름이라고 여길지도 모른다. 수화기가 스마트폰 통화 어플을 상징하는 픽토그램으로 남아 있듯이 말이다. 그렇다면 〈밀리의 서재〉도 〈밀리의 작업실〉로 바꿔야 하는 거 아닌가 하는 괜한 투정을 부린다.

요새는 공부하러 간다는 말을 도서관에 간다고 표현한다. 도서관은 크게 두 개의 공간으로 나뉜다. 하나는 자료실, 다른 하나는 열람실이다. 도서관이 낯설다면 꽤 까다로운 분류다. 자료실은 말 그대로 책이 있는 곳이고, 열람실을 책을 읽을 수 있는 공간이다. 그렇지만 일반적으로 열람실은 공부를 하는 공간으로 본다. 한때 코로나로 인해 사회적 거리두기가 적용되면서 도서관을 이용할 수 없거나 제한적으로 이용했다. 사회적 거리두기가 적용될 때 도서관 앞을 지키는 경비원 분이 나를 보자마자 열람실을 가는 거냐고 물었다. 열람실의 인원 체크가 중요하기 때문에 그렇게 물은 것이지만 도서관의 주 기능이 상실된 것 같아 어쩐지 씁쓸했다.

현재의 도서관에 반대하는 것은 아니다. 오히려 열람실은 사회적으로도 필요한 일이다. 아무래도 지갑 사정이 얇은 사람들은 무료로 개방된 열람실을 적절하게 활용할 수 있다. 도서관을 많이 짓고 있는 것도 열람실의 인기 때문이기도 하다. 동네 근처에 도서관이 있다는 것은 교육 여건이 좋은 곳이라고 생각할 것이고, 그런 인식 향상을 위해서라도 지역에서는 도서관을 지으려고 한다. 그렇지만 명색이 도서관이니 구색을 갖추기 위해 자료실에 책을 들여올 것이다. 누구나 어디에서든 도서관에 갈 수 있다는 것은 좋은 일이다.

도서관의 기능과 용도에 대해 성토하기는 했지만 나도 도서관 내부를 자주 이용하는 것은 아니다. 지역 도서관에 덩그러니 놓인 책상과 의자가 취향이기는 하다. 추울 때 따뜻하고, 더울 때 시원한 공간은 도서관만 한 곳이 없다. 다만 매일 거기에 출근 도장을 찍기에는 거리가 만만치 않다. 그러다 보니 자연스레 책만 빌리고 오는 경우가 많다. 어렸을 때부터 극내향인이었기 때문에 도서관에 머무르는 것을 상상하기 어려웠다. 학교에서 나만큼 책을 좋아하는 사람이 드물었는데, 뭔가 다른 사람과 섞

여 있는 게 불편하여 학교 도서관에도 오래 머무르지 않
았다.

　예전부터 시끄러운 도서관이 있으면 좋겠다고 생각했
다. 마구 떠들고 웃을 수 있는 도서관 말이다. 도서관은
때로 엄숙함을 요구하기 때문에 그것이 가끔 갑갑할 때
가 있다. 언젠가 도서관에서 뛰놀던 아이들이 제지당하
는 걸 보고 아쉬운 마음이 들었다. 물론 사람들이 요구하
는 에티켓이 다르므로 거기에 맞춰진 공간을 가면 된다.
그러니까 내 경우에는 어느 정도 소음이 있는 카페를 간
다. 그렇지만 가끔은 마음껏 뛰노는 아이들이 있는 도서
관을 상상한다.

이런 사람도 존재한다

언젠가 인터넷에서 맨스플레인이라는 단어를 들었고 머리가 번뜩였다. 아 정말 그렇구나. 남자들은 정말 가르치기를 좋아한다. 정말이지 가르치지 않고는 못 배긴다. 그런 병이 있다. 독서모임에서 토론할 때도 시간제한을 넘기면서까지 떠드는 것은 대부분 남성이다. 심지어 주의를 주는데도 무시하고 떠든다. 이런 것을 보면 정말 고구마 네 개를 먹고, 음료를 안 마신 것처럼 답답하다. 그런데 그런 태도가 때로는 이해가 된다. 왜냐하면 나도 그렇기 때문이다.

친구를 만나면 항상 떠드는 것은 나였다. 일상의 TMI를 공유하는 것은 물론, 정치적이거나 사회적인 이슈를

한 움큼 집어다가 속사포처럼 지식과 정보를 쏟아냈다. 모르는 사람에게도 이랬다가 많이 데였다.

자신의 생각이 맞다고 우기는 것 자체가 기득권을 가진 사람의 행동 습성이 아닐까 싶다. 술자리에서 정치 이야기만 주야장천 늘어놓는 노인들의 모습도 그렇다. 정치도 중요하고, 좌니 우니 떠드는 것도 중요하다. 그런데 세상 문제가 온통 청와대와 국회의사당, 그 근처에만 있는 것처럼 떠든다. 정말 그게 자신의 삶과 직결되는 것처럼 말이다.

그 사이에 끼어 있는 약자들. 소위 말하는 가난한 사람, 장애인, 외국인, 여성, 지방민 등은 소외된다. 그들이 목소리를 내려고 하면 그런 이야기는 사소한 이야기라며 더 크게 생각해야 한다고 한다. 그렇지만 반대로 지나치게 당사자성만 내세우는 사람에게는 청개구리가 되어 사회 구조의 문제도 생각해야 한다고 귀띔하고 싶다. 특히 이런 이야기가 나오면 결국 사회가 이 모양이니 어쩔 수 없다는 허무주의나, 사회 구조에 큰 변화가 필요하다는 막연한 결론으로 마무리 된다.

나는 남성이자, 경기도민이며, 비장애인, 논비건, 4인가족의 막내 등으로 살아오면서 딱히 차별을 받았다고 느낀 적은 없다. 우리 집은 가난하긴 했지만 그것 외에는 딱히 불만을 가질 에피소드는 많지 않다. 물론 몇 가지 마주한 문제들은 나를 옥죄기도 했지만 어떤 점에서 그러한 문제는 사회적 차별에 가까웠지, 개인의 정체성으로 인해 생긴 경우는 아니었다. 그러니 나에게 있어 해결되어야 하는 과제는 오직 사회 구조라 여기고 그렇게 떠들고 다녔는지도 모른다.

물론 나는 여전히 가난한 집안의 자식이고, 여전히 가난하다. 이러한 당사자성이 다른 당사자성을 지닌 사람과 연대의 가능성을 열 수 있다고 여긴다. 그렇지만 당장 그들을 위해서 할 수 있는 것은 이야기 듣기, 시혜적인 행동, 아니면 차라리 입을 열지 않는 정도가 있는 것 같다. 약자일수록 오히려 자본주의에 대한 신뢰도가 높은 경우도 있다. 내가 정상성에 얽매였던 것도 가난 때문이기도 하다. 사회에서 규정하는 비정상성이라는 얼룩이 내게 묻으면 그것을 얼른 떼어낼 수밖에 없다. 가난만으로도 발목이 붙잡히는데 다른 것까지 나를 다른 존재로 규정해버리면 삶을 버텨낼 자신이 없었다. 그렇기에 겉으로는 소외된 자들과 연대할 수 있는 잠재적 지지자라고 하면서 안정적인 자리에서 관망하는 비겁한 포지션에 있다.

그럼에도 이제는 소수자의 문제를 이야기하면 구조적 문제를 들고 오면서 부차적인 것으로 간주하는 사람들이 얄밉다. 그것 역시 맨스플레인의 전형이라고 생각해서 그들의 생각을 깨려고 노력하지만 쉽지 않다. 어차피 그들의 상상력은 거기까지가 한계다. 좋은 세상을 만들자고 하는 사람이 모두에게 해당하지 않는 의제라는 이유로 외면한다면 도대체 누구를 위해 행동하는 것일까. 물론 기득권을 가졌다고 여기는 사람들의 당사자성도 필요하다. 절대적인 기득권자는 없다. 그렇기에 그 당사자가 요구하는 가치도 결코 부차적인 것이 아니다. 그렇지만 평등의 범위가 확장되어야 그들이 요구하는 당사자성과 균형이 맞을 수 있다.

상식선에서 쓰인 책을 좋아하지 않는다. 그것은 단순히 책을 많이 읽은 힙스터의 자부심이 아니다. 출판계에서는 페미니즘 리부트 이후로 페미니즘 관련 책이나 여성 작가들의 책이 쏟아졌다. 그렇지만 그때의 상황과 지금의 현실과는 거리가 멀기도 하다.

가끔은 맨스플레인이라는 단어에 숨이 막힐 때도 있다. 때로는 그것이 이야기할 수 있는 것들에 대해서도 가르치는 것이라고 판단하여 말문을 막기 때문이다. 우리 사회에서는 토론 문화가 자리잡지 않았기 때문에 공개적인 장소에서 사회 문제에 관해 자신의 생각을 이야기하는 것도 금기시된다.

기본적인 대화의 방법은 들어주는 것이다. 그렇지만 그 사람의 이야기를 잘 들어주려면 대화를 이끄는 방식도 중요하다. 이제는 나도 일방적으로 말하거나 듣는 편은 아니기에 빈말로라도 좋은 화자라고 칭찬받지만, 적당선을 타는 것이 쉽지 않다. 때로는 그런 일이 피곤해서 그저 책이 너무 좋아 호들갑을 떨며 이곳저곳에 소문을 내며 영업하는 사람이 되고 싶다.

그렇지만 나는 그렇게 하지 못한다. 내가 정말 재밌게 읽은 책은 세상 사람 대부분이 좋아하지 않는 책일 가능성이 높다. 사회적인 문제나 가난에 대해, 그리고 그것을 둘러싼 사회의 이해관계를 다룬 책을 좋아하지만, 대부분은 그런 책을 읽지 않거나 피한다. 특히 독서모임에서

가뜩이나 삶이 힘든데 그런 내용의 책을 읽어서 마음이 울적해지기는 싫다는 이야기를 많이 들었다.

먹기 싫은 음식을 억지로 떠먹일 수는 없을 것이다. 대신 이런 사람도 있다고 말하고 보여주는 것이 내가 할 수 있는 최선이다. 그래서 매 번 흥미롭게 읽은 책을 블로그와 SNS에 소개한다. 이런 사람이 있다는 게 대단하다고는 생각하기를 바라지 않는다. 그저 이런 사람도 세상에 있다고 생각하면 그것만으로도 성공이다.

혼자가 되는 독서

독서가에게 가장 곤란한 질문

독서가 취미라고 하면 읽을 만한 책을 물어보는 경우가 많다. 주변에는 책을 읽지 않다가 오랜만에 도전하려는 사람들로 넘친다. 그런 사람들은 보통 무난한 책을 고른다. 무난하니까 읽어도 크게 손해는 보지 않는다. 간혹 도움을 얻기도 한다. 그렇기에 아무 책이나 읽어도 된다. 그렇지만 초보자는 실패가 더 크게 느껴지기 때문에 독서 자체를 두려워한다. 그래서 쉬운 책을 골라주고, 점차 깊이를 만들어 가도록 유인한다. 다양한 장르의 책을 많이 읽는 것도 좋지만 무엇보다 개인의 취향과 정체성을 파악하는 것이 중요하다.

좋아하는 책이나 작가를 찾으면 한결 수월하다. 그렇

지만 그럴 가능성이 낮으므로, 보통은 운에 맡길 수밖에 없다. 세상에는 무수히 많은 책이 있고 그 중에 내 마음에 드는 책을 만나는 경우는 드물다. 무엇보다 책을 읽을 때는 책의 내용을 무작정 전부 받아들이지 말고 자신의 관점을 견지하는 것이 필요하다. 그렇지만 그러한 관점도 여러 책을 읽어야 생기기도 한다. 물론 우리는 이미 매체에 둘러싸여 있다. 스마트폰을 통해 항상 온라인에 접속한다. 그곳에서 다양한 정보를 접하고, 매일 언론에서 보도되는 사건 사고에 대해 자기만의 생각이 있다. 심지어는 생각이 없다고 하는 것도 본인의 관점이다.

누군가가 어떤 책을 읽고, 그 책을 통해 관점을 찾아갈지는 알 수 없다. 그래서 내 경험을 말할 수밖에 없다. 나도 책을 좋아하기는 했지만, 꾸준히 읽은 것은 아니었다. 군 복무를 마치고 났을 무렵에는 책을 읽어도 별로 감흥이 없었다. 그 후로는 점점 권태기가 왔고, 내가 어떤 책을 좋아하는지 알 수 없었다. 베스트셀러를 주로 읽었으므로, 어떤 점에서는 대중없이 책을 읽기도 했다.

그러다 무언가를 원했다. 인생에 큰 영향을 주었던 책 한 가지를 꼽으라면 말할 수 있는 책 같은 것. 십여 년 넘도록 독서를 했어도 말할 수 있는 것이 딱히 없었다. 그러다 멘토였던 블로그 이웃이 풍부한 독서 경험이 없어서 그런 것이라고 했다. 나만큼 책을 읽는 사람도 많지 않은데? 그렇지만 그의 지적대로 고전을 읽은 적은 한 번도 없었다. 어쩐지 고전은 어려울 것 같다는 막연한 생각 때문에 피했다.

그의 권유로 고전을 읽기 시작했다. 그중에는 어려운 책도 있었지만 생각보다 쉬운 책도 있었다. 이렇게 하면 결국 고전을 읽는 것이 답이냐고 할 수 있겠지만, 어쩔 수 없다. 현대에 나오는 책도 고전에 영향을 받은 경우가 많고, 어쩔 수 없이 언급되기 때문에 그것들을 따라가려면 결국 고전을 읽을 수밖에 없다. 그렇지만 독서 훈련이 안되어 있다면 강의나 모임의 도움을 받아서 읽는 것이 좋다.

내 경우에는 그래도 독서 경험이 있었고, 책을 읽을 시간이 충분했기 때문에 혼자 공부했다. 그 후로는 평소에 시도했지만 전혀 이해 못 했던 철학책도 읽었다. 원래 철학책은 매번 시도해도 감흥이 오지 않았다. 그러다 멘토의 추천으로 가라타니 고진이 쓴 『세계사의 구조』를 읽었다. 처음 읽고 당장 이해가 되지는 않았지만 그래도 어쩐지 이해하고 싶었고, 또 책의 관점이 신선하고 충격적이었다. 그래서 그의 관점을 받아들이고 다른 책을 읽어나가기 시작했다.

가라타니 고진은 역사를 통해 현대 세계의 구조를 파악한다. 어쩌면 순전히 학자의 관점에서 바라본 세상 이야기다. 비슷한 책 중에 유명한 책으로 유발 하라리의 『사피엔스』가 있다. 『세계사의 구조』는 쉽지 않은 책이지만 책에서 말하는 내용이 어쩐지 나의 삶을 설명한다는 느낌을 받아서 끌렸다. 그것은 어떤 점에서 성서였다. 책의 글귀만으로 위안이 되었다.

이제는 가라타니 고진의 관점을 빌리지 않는다. 더 많은 책을 읽고 나서는 이 책의 내용도 다른 저자가 한 이야기들을 잘 정리한 것이라는 것을 알았다. 그런 점에서 책을 통해서 시대의 지혜를 깨닫기도 한다. 같은 이야기를 하더라도 책마다 결이 다르다. 누가 먼저 말했는지는 그다지 중요하지 않다. 그 후로 오 년이 지난 지금 많은 책을 사랑하고, 책마다 매력이 다르다는 것을 안다. 그래도 가라타니 고진의 책을 처음 읽었을 때의 충격은 잊지 못

할 것이다.

여전히 나는 책과 함께하지만, 설렘은 크지 않다. 그래서 책을 읽고 설렐 첫 독서가가 부럽다. 그런 사람들에게 어떤 조언을 해야 할까. 어차피 읽을 사람이면 읽고, 안 읽을 사람이라면 안 읽을 것이기 때문에 굳이 조언해야 하나 싶다. 그래도 책을 읽으려는 사람들을 만나면 손을 붙잡고 방방 뛰고 싶다. 오히려 조언이 독이 될 수도 있으니, 그저 독서를 지속할 수 있는 팁을 몇 가지 공유하고자 한다.

책을 읽을 때는 두 권 이상으로 나누어 읽는 것도 좋다. 그중에서도 가볍게 읽을 책과 깊이 읽을 책을 동시에 읽는 게 좋다. 그렇게 하면 책을 읽는다는 만족감을 느끼면서 독서의 깊이를 늘릴 수 있다. 난이도의 기준은 개인에 따르겠지만 읽어도 되나 싶을 정도로 자질구레하거나 그저 재미 위주의 책을 읽는 것도 좋다. 반대로 두고두고 읽을 만한 책을 하나 정해서 읽는다. 그런 책은 고전이 좋다. 고전도 아무거나 읽다가 실패할 수 있으므로 인터넷이나 독서모임의 도움을 빌리는 것도 좋고, 사두고 안 읽은 책이나, 평소 시도하지 못했던 책을 읽는 것도 권한다.

이것을 병렬 독서라 부르기도 한다. 사실 웬만한 독서가라면 즐겨 사용하는 방법이지 않을까 싶다. 이러면 포만감과 효능감 모두 느낄 수 있어서 좋다. 그렇지만 가끔은 책 한 권을 집고 그 책을 끝까지 읽을 때까지 다른 책을 집지 않기도 한다. 그렇지만 그런 경우는 몰입감 있는 책을 읽을 때 가능한 방법이다.

동기부여도 중요하다. 도서관에서 책을 빌리는 것도 좋다. 책을 사면 언제든지 읽을 수 있다는 생각에 잘 안 읽게 된다. 도서관에서 책을 빌리면 대출 기간이 있기에 강제로라도 책을 읽는다. 아니면 모임에 참여해서 일정을 강제하는 것도 방법이다. 블로그를 하는 것도 방법이다. 내 경우에는 블로그나 인스타그램에 정리해서 올리기 때문에 일일이 확인하지 않아도 일 년에 몇 권을 읽었는지를 간편히 확인할 수 있다.

가장 중요한 것은 책을 찾을 수 있는 정보를 많이 구하는 것이 좋다. 아무리 책을 많이 읽는다 하더라도 정보를 구할 수 있는 곳이 없으면 읽을 책이 없어서 금방 가로막힐 수 있다. 사실 인터넷이나 독서모임 등에서 책의 정보를 꾸준히 모은다면 읽고 싶은 책은 꾸준히 늘어날 것이다. 오히려 따라가기가 벅찰 것이다.

실패하지 않는 책 구매법

용돈을 모두 책으로 썼다는 이야기 정도는 독서중독자에게 별다른 에피소드가 되지 않는다. 그렇지만 책을 모을 수 있는 자기만의 공간이 있다는 것은 특권이다. 그것으로 그 사람이 어느 정도 여유가 있는 환경이지 않을까 짐작할 수 있다. 십 대를 보낸 집은 넓었지만 그 주변에는 아무것도 없었다. 개발되지 않은 촌이었고, 그곳에서 주로 게임을 했지만 그만큼 독서도 좋아했다. 컴퓨터는 한 대였고, 형과 자리다툼을 해야 했으므로 그럴 바에는 온전히 독점할 수 있는 책 한 권이 소중했다.

십 대 때 책을 샀던 것은 지적 허영과 모험, 이 두 가지를 만족했기 때문이다. 책을 좋아하는 십 대가 순전히 접한 책은 베스트셀러였다. 그러다가도 도서관에서 우연히 집은 책에 푹 빠지기도 했다. 그렇지만 도서관은 장르로 분류되고, 오로지 책 제목과 저자의 이름이 나열되어 있어 그것을 보고 책을 고르기란 무척 난감했다. 그렇다고 서점을 이용하려니 서점 주인도 딱히 책에는 관심 없는 사람 같았고, 작은 동네서점이다 보니 없는 책도 많았다. 대형서점은 거리가 멀었다. 성인이었다면 그 정도는 감안하고 갔겠지만, 어렸을 때는 어쩐지 엄두가 안 나는 거리였다.

그래서 인터넷 서점을 이용할 수밖에 없었다. 나 같은 주머니 사정이 얇은 학생에게는 도서정가제 이전의 할인으로 기존 책값의 절반으로 책을 살 수 있으니 엄청난 혜택이었다. 그런 책 중에서도 베스트셀러 위주로 책을 샀었다. 그때 책 무료 배송은 만 원을 넘겨야 했는데, 책값이 만 원이 넘지 않는 경우도 있었다. 그때는 저렴한 포켓북을 구입해서라도 만 원을 어떻게든 채웠다. 그때는 그렇게 하는 게 효율적이라고 생각했다. 그렇게 해서 산 책은 성에 찰 수 없었고, 거의 읽지 않았다.

책을 사면 세네 권 이상 구입하는 경우도 있기 때문에

가격을 맞추려고 고민하는 경우는 많지 않았다. 다만 굿즈가 눈에 띄었다. 굿즈보다는 돈을 아끼는 것이 주머니 사정에는 맞았으나 가격을 못 넘겨 굿즈를 못 받으면 아쉬웠다. 그렇기에 억지로라도 책값을 넘겨서 굿즈를 받고는 했다. 그때 당시의 굿즈는 지금보다 다양하지는 않았다. 기껏해야 책표지를 딴 미니 메모지나 운이 좋으면 비매품 단행본이었다. 주머니 사정도 얇고 수도권 비도시에 위치한 학생 사정에서 도서정가제가 도입되면 타격이 있겠지만 대학에 들어가면서 상황이 달라졌다.

이십 대 이후에 대학 생활을 하고, 잠깐의 직장 생활을 하면서 도서관 이용이 늘었다. 그때는 웬만하면 책을 빌려 읽었다. 그러면서 책 구입을 멈췄다. 쇼핑으로 스트레스를 푼다는데, 어렸을 때부터 나는 독서로 스트레스를 풀었던 것 같다. 대학 이후에는 독서 목록을 짜는 데에 어려움이 있기는 해도 도서관을 통해서도 끊이지 않고 읽을 수 있었다. 간혹 사람들은 어떻게 그렇게 많은 책을 찾아 읽을 수 있냐고 묻는다. 그렇지만 대형 서점에서 운영하는 중고서점만 가도 이미 사람의 손을 거친 책이 그토록 많다. 환경이 열악했던 때에는 별다른 의식을 하지 못

했다. 그냥 책을 읽다가 멈추면 다른 일을 하다가 읽을 책이 생기면 돌아오는 연속이었다. 오히려 지금은 책도 많이 나오고, 정보도 넘쳐 매 달 출간하는 신간만 따라가기도 벅차다.

딱히 관심 분야가 없는데 책을 파고 싶다면 인문학이 좋다. 그건 내가 인문학을 좋아하기 때문이기는 하다. 책을 좋아하더라도 인문학은 어렵다는 이유로 피하는 경우도 많다. 인문학이라면 대부분 철학을 생각할 것이다. 철학 내에서도 다양한 스펙트럼이 있기 때문에 그것을 쫓는 데에만 해도 평생이 모자란다. 그 중에서 자신과 맞는 분야가 하나는 분명 있을 것이다. 그러니 읽을 책이 없다고 하는 것은 핑계다. 그저 책을 읽으려는 의지가 부족한 것이다.

가장 좋은 방법은 매번 신간을 찾아보는 것이다. 이 방법은 베스트셀러 이외의 책을 찾을 때 가장 많은 사람이 애용하는 방법이지 않을까 싶다. 책의 흥행도 보통은 처음 나올 때 당락이 결정된다. 책을 많이 읽는 사람도 아무래도 읽을 책이 없다고 느끼면 신간을 뒤적이게 된다. 왜 굳이 검증되지 않은 신간을 읽느냐고 하지만 선호하는 장르 중에서 신간 코너를 찾다보면 자신의 취향에 맞는 책이 눈에 띈다. 신간이기 때문에 검증되지 않아서 질은 장담하지 못하지만 읽을 책을 찾았다는 만족감은 채울 수 있다.

신간의 경우 검증되지 않은 책일 확률이 높다. 그래서 웬만하면 조금이라도 읽어보고, 가능하면 30페이지 정도를 읽고 사기를 권하지만 그것도 쉽지 않다. 어쩔 수 없이 표지나 제목에 끌리거나 목차나 서문에 꽂혀 지르는 경우도 있다. 몇몇 독서가는 앞표지, 뒷표지를 살피고 그 안의 목차나 서문, 추천사만 읽어도 그 책이 어떨지 알 수 있다는 감식안을 지니고 있다는 식으로 말한다. 그런데 그런 경지에 오르기까지 지난한 과정이 필요하다. 당장 책에 흥미가 없고, 흥미를 붙일까 말까 하는 사람에게 시행착오를 줄이기 위한 그런 조언들은 오히려 주눅이 든다. 어차피 겪어야 할 시행착오라면 무턱대고 한 번 부딪쳐보는 게 좋다. 그랬다가 도움이 안 되었다면 별 수 없다.

책을 추천해달라는 말은 주식 종목을 추천해달라는 말만큼 어렵다. 당장 그런 말은 빈말인 경우가 대부분이므로 그런 질문에 깊이 고민할 필요가 없다. 그런 질문은 대개 친하지 않을 사람이 물어볼 확률이 높다. 그러니 마찬가지로 누구나 좋아할 만한 책을 추천한다. 사람마다 취향이 다르므로 좋은 방법은 아니다. 정말 책을 추천 받을 생각이 있는 사람이라면 어떤 책을 읽어야 할지 묻기 전에 아예 자신과 비슷한 취향을 가진 사람에게 질문하거나, 적어도 서점을 둘러보며 책의 취향을 미리 파악하고 추천해달라고 해야 한다. 아무리 책을 많이 읽었어도 책을 골라주는 일은 쉽지 않다.

그래서 요새는 북튜브를 권하기도 한다. 예전에는 블로그나 인스타그램을 이용하는 것을 권장했지만 이것도 찾는 데에 품이 드니까 그런 품을 들이는 정도면 이미 입문자는 벗어난 사람이다. 북튜브라면 책 소개만으로도 책을 읽은 것처럼 금방 이해가 되니 좋지 않을까 싶다. 북튜브 중에서 당연 유명한 사람은 겨울서점님이다. 눈높이에 맞게 설명하는 겨울서점님도 매력적이지만 좋은 책 한 권을 꼼꼼하게 소개하는 면이 있어 나 같은 다독가에게는 도움이 안 될 때도 있다. 그래서 〈공백의 책단장〉이 눈에 띈다. 이 유튜브는 매월 읽은 책들을 연달아 소개해서 다양한 책을 한 번에 소개한다. 그것을 보고 자신의 취향에 맞는 책을 골라 업어 가면 된다. 늘 다양한 책을 접할 수 있는 곳이 필요하다면 독서모임이 가장 좋기는 하다. 이 부분은 자주 말했던 부분이라 지겨울 수 있지만 이만큼 접근하기 좋은 방법이 없다.

요새 무슨 책을 읽느냐고 묻는다면

사람들이 가끔 무슨 책을 읽냐고 묻는다. 어떤 책을 읽는지 순전히 궁금해서 일 수 있다. 그렇지만 그런 질문을 들을 때마다 당혹스럽다. 읽는 책의 종류가 다양하고, 그것도 수시로 바뀌기 때문이다. 가장 최근에 읽은 책은 『배달의 민족은 배달하지 않는다』이다. 현재 운영 중인 독서모임을 진행하기 위해 읽은 책이다. 비슷한 시기에 먼저 읽은 책은 『혼자일 때도 괜찮은 사람』이다. 이날은 몸이 좋지 않아 집중이 안 됐지만 가볍게 읽기에 좋은 책이었다. 그렇지만 두 책 모두 단번에 떠오르지 않았다. 그 이유를 생각해 보니 워낙 여러 책을 읽기 때문이다.

나이가 들수록 기억력이 줄어든다. 그렇지만 내가 생각해도 책을 정말 많이 읽었다. 마침 연말이라 읽은 책 권수를 확인했는데 십의 자리를 반올림하면 약 500권 정도가 된다. 이렇게 기록을 한 것이 얼마 되지 않았으므로 정확히 측정하기는 어렵지만 나날이 독서량이 늘어난 것은 사실이다. 어떻게 일 년에 500권을 읽을까. 방법은 간단하다. 하루에 한 권이라도 읽으려고 의식적으로 노력한다. 평일에는 글을 쓰고, 주말에는 쉬는데 내게는 독서가 휴식에도 포함되는 일이므로 주말에는 거의 책만 읽는다. 이에 더하여 어느 날에는 독서를 마음껏 할 수 있는 치팅데이를 정하여 그날은 연거푸 책만 읽는다. 보통 두 권 이상을 읽고, 컨디션이 좋거나 분량이 적은 단행본 위주로 읽으면 그 이상으로 읽을 수 있다.

물론 다독이 좋다고 자랑하고 싶은 마음은 없다. 순전히 나는 독서를 즐기고, 그것도 많이 즐기고 싶어 하는 미친 독서중독자일 뿐이다. 만일 누군가가 책을 많이 읽어야 한다고 하면 코웃음을 칠 것이다. 책은 적당히 읽어야 좋다. 책을 읽을 시간이 넘친다면 읽은 걸 삶에 적용하는 시간도 필요하다. 그게 아니라면 골방에 갇혀서 책을 읽는 것에 불과하다. 물론 책을 꾸역꾸역 읽다 보면 언젠가 세상 밖으로 나가고 싶은 욕심이 생길 것이다. 그런 시간을 인내할 수 있다면야 책만 읽는 것도 상관없다. 그렇지만 나중에 세상에 나왔을 때 책의 풍경과 세상의 풍경이 너무 달라 당황스럽다.

이제 나에게 요새 무슨 책을 읽느냐고 묻는다는 일이 의미 없는 질문이라는 걸 알 것이다. 보르헤스의 도서관처럼 수많은 책이 머릿속에 있다. 그렇지만 동시에 망각의 도서관이다. 그래도 같은 질문을 받았을 때 좀 세심한 사람이라면 그래도 최근에 읽은 책 중에서 상대가 관심 있어 할 만한 책의 제목을 꺼낼 것이다. 그 책은 아마도 당장 읽은 책이 아니라 읽은 지 오래된 책일 수 있다. 그래도 상대에게 책의 구절을 하나하나 꺼낼 일은 없기 때문에 괜찮다.

어떤 책을 읽었는지 물어볼 때마다 당혹스럽다. 물론 질문한 상대도 대화를 이어 나가기 위한 것이지 책의 내용에 관해 크게 관심이 없으므로 간략하게 소개하면 그만이다. 그러다가 정말 내용을 궁금해 하면 그때 더 자세히 설명하면 된다. 그렇지만 당장 최근에 읽은 책의 내용도 뚜렷이 기억나지 않는다. 사람들도 읽은 책의 내용을 금방 잊어버리는 증세를 호소한다. 경우에 따라 다르겠지만 내 경우에는 너무 빨리 읽기 때문에 문장도 금방 흘려 읽고, 심지어 읽지 않은 문장도 있어서 책의 내용을 전부 읽었다고 하기 어렵다. 이를테면 속독이자, 오독이다.

책 한 권을 읽을 때 그 한 권만 읽는 것은 아니다. 『배달의 민족은 배달하지 않는다』를 읽으면서도 기시감을 느꼈다. 예전에 분명 이 구절을 다른 책에서 봤다고 생각하는데 그 책이 생각나지 않을 때 당혹감을 느낀다. 아마도 『배달의 민족은 배달하지 않는다』를 읽을 때 플랫폼 노동을 다룬 다른 책을 더러 읽었기 때문에 중복된 내용이 겹쳐서 그러지 않았나 싶다. 어떤 책을 읽을 때 그 책과 관련된 키워드를 연상하고 그것으로 책이 설명해주지 않는 부분을 채운다. 그럴 때는 한 권의 책을 읽어도 여러 권의 책을 읽는 느낌이다.

책을 읽지만 여전히 책의 세계를 다 알 수 없다. 어쩌면 책의 종류도 다양하고, 그것을 읽고 해석하는 사람들의 반응도 각기 다르기 때문이지 않을까 싶다. 그래서 책의 권수와 사람 수만큼을 곱한 반응이 흩어져 나오는 것

을 상상한다. 나와 대화를 이어가기 위해 어떤 책을 읽느
냐는 그 질문에 대해 생각한다. 우리가 금방 의견을 모을
수 없다면 어떤 책을 읽는지 서로 확인하는 것도 좋은 게
아닌가 싶다. 광대한 우주처럼 흩어진 이 공간에서 이렇
게 마주칠 수 있다는 것 자체가 큰 행운이다. 어쩌면 내가
그토록 책을 읽은 것도 사람들과의 접점을 늘리기 위한
것일지도 모른다.

연평균 300권

읽은 책이 6권이 되면 블로그와 SNS에 남긴다. 이를 통해 한 달에 읽은 책을 확인하면 36권정도 된다. 읽다가 관둔 책도 더러 있기 때문에 집은 책은 더 많다. 이렇게 일 년을 읽으면 평균 300권을 읽는다. 이렇게 읽은 지 얼마 되지는 않는다. 어렸을 때부터 책을 읽었지만, 코로나의 영향으로 읽는 양이 엄청나게 늘었다. 매해 300권씩 읽으면 30년이면 9,000권을 읽을 수 있다. 그게 꼭 좋다고 생각하지는 않는다. 양도 중요하지만 질도 중요하다. 체계적으로 책을 읽는 것도 아니고, 그저 미친 듯이 책을 읽는다.

많은 책을 읽기 위해서는 쉬운 책을 골라 읽어야 한다.

난이도는 상대적이기는 하다. 내 경우에는 철학책도 더러 읽지만 그것은 경험이 쌓여 있기 때문에 가능하다. 권수를 채우고 싶다면 그런 책을 읽을 필요는 없다. 자신에게 맞는 장르를 찾는 것이 중요하다. 시중에 나온 장르 중에 읽기 쉬운 장르가 에세이와 소설이다. 같은 장르라 해도 난이도가 천차만별이기는 하지만 요즘에는 쉬운 책이 많이 나오는 편이므로 그런 책을 읽으면 되지 않을까 싶다.

문제는 그런 책을 읽어서 도움이 될지 의심스럽다. 단지 독서양을 늘리고 싶다면 책의 효용에 관해 생각하는 것은 모순이다. 지혜를 얻고 싶은 것이라면 고전을 독파하는 것이 낫다. 긴 호흡으로 고전을 한 권씩 읽고, 나머지 시간에는 쉬운 책들을 읽으면서 성취감을 채우는 것도 좋다.

많은 양의 책을 읽기 위해서는 그만큼 책을 공급받아야 한다. 300권이면 가격이 만만치 않다. 그렇지만 도서관에서 빌리면 문제는 해결된다. 한 도서관에 장서량이 대략 50,000권 정도라면 취향도 있고, 책마다 편차가 있기 때문에 그 도서관에서 실질적으로 빌릴 수 있는 책은

3,000권도 안 될 수 있다. 그렇지만 이렇게 해도 십 년 가량은 거뜬히 읽을 수 있다.

현재 이용하는 도서관은 대학 도서관과 지역 도서관이다. 대학 도서관의 책은 장서가 생각보다 많지는 않다. 다만 신간을 빠르게 입수하기 때문에 신간을 읽기에 좋다. 지역 도서관도 꾸준히 양질의 도서가 들어온다. 무엇보다 상호대차가 가능하기 때문에 같은 지역에 있는 다른 도서관의 책을 빌릴 수 있다. 이렇게 책을 빌릴 수 있기 때문에 신간이어도 기간만 어느 정도 지나면 웬만한 책은 전부 빌려 읽을 수 있다.

요즘은 읽을 책을 메모해 두었다가 주말에 정리한다. 정보는 서점이나 블로그, SNS, 그리고 다른 책에서 얻는다. 그 후 도서관별로 소장된 책을 검색한다. 우선 이용할 수 있는 전자도서관에서 책을 한 번 훑는다. 전자책을 싫어하는 사람도 있지만 바로 빌려 읽을 수 있는 전자도서관이 가장 편하다. 그 뒤 지역 도서관, 대학 도서관, 상호대차 순으로 검색을 돌린 후 책이 있는 도서관을 메모한다.

요새는 신간에 의존하는 편이다. 신간은 빨리 들어오

는 것이 아니므로 곧장 읽을 수 있는 것은 아니다. 그래도 조금만 기다리면 입고가 되고, 신간에 읽을 책이 꽤 많다. 관련 정보를 서점이나 인터넷을 둘러보며 살핀다. 동네 서점의 인스타그램을 팔로우해서 정보를 얻는 방법도 있다. 이렇게 하면 신간 소식을 빠르게 알 수 있고, 꼭 신간이 아니더라도 흥미로운 책을 발견할 수도 있다.

가장 좋은 방법은 서점을 이용하는 방법이다. 요새는 서점에서 책을 읽는 것은 예절이 아니라고 생각하는 경향이 짙어졌다. 그렇지만 책을 자주 사는 사람은 비용이 만만치 않다. 대형 서점에서는 내용을 확인하기 위해서라도 책을 어느 분량까지는 읽어도 된다고 생각한다. 그렇지만 읽은 책을 사진으로 찍지 않는 예절 정도는 지켜야 하지 않을까 싶다.

사람들은 의외로 책을 완독해야 한다는 생각 때문에 의욕이 꺾이는 경우가 많다. 안 읽히는 책은 읽지 말고 넘긴다. 책이 안 읽히는 원인은 환경이나 심리가 원인일 수도 있지만 무엇보다 책이 취향에 맞지 않거나 당장 읽기에는 벅찬 책일 수도 있다. 물론 난이도가 어려워서 그런 경우에는 도전하는 시도도 필요하기는 하다. 그런 게 아니라면 억지로 꾸역꾸역 읽을 필요는 없다. 중간까지 책을 읽어도 감흥이 없는 책은 다 읽어도 높은 확률로 남는 게 없다. 그런 경우는 순전히 권수를 채우기 위한 더미일 뿐이다.

물론 성취감을 위해 끝까지 읽는 것도 꽤 괜찮은 방법이다. 애초에 독서는 시간 낭비를 위한 최적의 수단이다. 그렇지만 그 시간에 다른 책을 읽는 것이 효율적이다. 그렇게 하여 더 많은 시간 낭비의 기회를 얻을 수 있다. 웬만하면 여러 권의 책을 찾아 읽으면서 잘 읽히는 책을 찾는 것이 좋다.

재미없는 책을 판가름하기 위해서는 책의 30페이지 정도 읽기를 권한다. 이 정도 읽으면 재미를 판가름할 수 있다. 물론 거기까지 읽고 재밌어서 샀는데 그 이후가 재미없을 수도 있다. 소장의 효용을 이야기하는 사람도 있고, 구입한 책은 반드시 완독하겠다는 사람도 있다. 출판 관계자에게는 미안한 이야기이지만 책은 이미 완독한 책을 사거나, 아예 읽지 않을 전시용 책을 사는 것이라 여긴다. 두고두고 읽을 책을 구입하는 것이 현명한 선택이다. 읽지 않아 집에 뒹구는 책은 인테리어 소품으로 사용할 수 있으면 딱이다.

책을 읽을 때는 순수히 즐긴다. 절대 딴짓하지 않는다. 그중에는 책에 줄을 긋는 것도 포함된다. 펜을 꺼내거나 인덱스를 붙이는 행동은 독서의 흐름을 끊는다. 만약 그렇게 할 거라면 책을 다시 읽을 때 한다. 물론 이것은 어디까지나 나의 속독법일 뿐이다. 정독을 하는 사람은 상관없다.

무엇보다 시간을 들여야 한다. 다독하는 사람에게 시간 안배는 꽤 중요한 일이다. 보통 나는 단행본 100페이지를 1시간에 읽는 것으로 목표로 한다. 속독으로는 그렇게 빠른 속도는 아니다. 그럼에도 많은 책을 읽을 수 있는 것은 그만큼 시간을 들이기 때문이다. 대강 계산하면 4시간에 책 한 권을 읽을 수 있다. 일반 직장인이라면 4시간의 여가 시간을 갖는 게 쉽지 않다. 그래서 대부분 택하는 것이 시간이 날 때 짬짬이 읽는 것이다. 다른 것을 안 하고 오로지 책만 읽는다. 그렇지만 나는 책을 읽는 것이 과업이고, 나머지 시간에는 노니까 애초부터 조건이 다르다. 그래서 직장인에게 권하는 독서량은 일 년에 50권 정도다. 여유가 더 있다면 100권까지도 가능하지 않을까 싶다. 이것도 어렵다고 할 수 있는데, 독서모임 사람 중에는 그렇게 읽은 사람도 더러 있다.

속독을 하면 책을 읽는 것이 아니라 책에게 쫓기는 것이라는 생각이 든다. 나 역시도 짧은 시간에 두세 권을 읽을 때도 있다. 좋은 책일수록 빨리 읽고 싶다는 생각이 든다. 술술 읽히는 책은 책의 내용과는 관계없이 관대해진다. 지나치게 읽기에 책을 못 즐기는 게 아닌가 싶지만 나름의 방법으로 책을 즐긴다. 그렇게 읽은 후 짧은 소감과 함께 해시태그를 적어 인스타그램에 올리면 저자의 좋아요 정도는 받을 수 있다.

모스 부호 독서법

어떻게 그렇게 책을 많이 읽느냐고 묻는다. 답은 당연히 속독이다. 한 권의 책을 빠르면 두 시간 안에 읽는다. 어떨 때는 이런 식으로 하루에 세 권을 읽기도 한다. 그런데 어떤 사람이 속독을 할 때 정말로 대각선으로 읽느냐고 물었다. 속독하는 사람은 그런 식으로 책을 읽는다는 내용을 나 역시 어디에서 읽은 적이 있다. 나는 그렇게 하지 않는다. 책을 읽을 때 어떤 방향으로 읽을지는 생각하지 않는다. 자연스럽게 텍스트를 따라 읽는다. 그렇지만 책을 읽다가 문득 의식해 보니 대부분 문단을 뭉텅이로 건너뛰어 읽었다. 위에서 아래로 읽되, 점선으로 끊어 읽는다. 이를 다음과 같이 표현할 수 있다.

－ ‥ － ・ －.

작가가 노력을 기울여 쓴 글을 꼼꼼히 읽지 않는 것은 미안한 일이지만 어떤 글의 경우에는 가끔 건너뛰고 싶어진다. 어떤 글에 주장이 있을 때 이런저런 근거를 댈 수 있다. 그런 경우 내가 이미 주장의 내용에 공감하거나 따로 근거가 필요하지 않다고 생각한다면, 그런 내용 정도는 건너뛰어 읽을 수 있다. 그렇게 대충 넘기면서도 논증의 방식을 확인한다.

이렇게 하기 위해서는 사전지식이 있어야 한다. 책을 많이 읽는 경우 다른 책을 읽으면 어느 정도 중복된 내용이 있기에 건너뛰며 읽는 것이다. 어떤 경우 처음 독서를 하는 사람에게도 바로 속독법을 적용할 수 있는 것처럼 떠들지만, 그 말을 신뢰하기 어렵다. 초보자에게는 시간이 다소 걸려도 책을 재밌게 읽을 수 있도록 유인하는 것이 낫다.

속독이 꼭 좋은 거라고 할 수도 없다. 그렇게 해서 책의 본문을 정확히 파악할 수 있는 것은 아니기 때문이다. 반대로 꼼꼼히 읽는다 하더라도 모든 내용을 기억할 수 있는 것도 아니기는 하다. 읽은 책을 기억하지 못하는 중상을 많은 사람이 호소하는데 당연한 거다. 시험공부를 하고 그 내용을 전부 기억하는 것은 아니니 말이다. 그렇지만 아예 잊어버리면 의미가 없기도 하다. 그래서 정독을 부정하지는 않는다. 오히려 정독할 책은 따로 읽는 것을 권한다. 그런 책은 직접 사서 소장하는 편인데, 도서관에서 빌리는 책만으로도 읽기가 벅차므로 후 순위에 밀린다는 단점이 있다.

독서가 중 일부는 책을 많이 읽는 사람을 하수로 여긴다. 오히려 느리더라도 한 권을 정확하게 읽어야 그것이 진정한 독서라고 주장한다. 나도 그러한 주장에 공감한다. 그래서 매번은 아니더라도 가끔 책을 정독한다. 그렇지만 그런 습관이 나하고는 잘 맞지는 않는다. 그러다가 올해에 독서모임을 진행하게 되었다. 아무래도 모임을 진행해야 하니 꼼꼼히 읽어야 할 필요를 느꼈다. 다른 독서모임에 참여할 때도 정독한다. 각 독서모임이 한 달에 한 번씩 열리니, 일 년에 24권의 책을 정독하는 셈이다.

속독을 하는 사람은 도서관 단골일 수밖에 없다. 요새는 도서관 서비스가 잘 되어 있어서 신간도 2~3개월 안에 입고가 되고, 정 도서관에 입고가 안 되면 상호대차를 통해 다른 도서관의 책을 빌려 읽을 수 있다. 그렇게 읽다 보면 인상 깊은 책이 일 년에 열 권 정도 나오는데 그런 책은 연말에 다시 읽는다. 어떤 책은 사서 읽고 싶고, 명색이 작가이니 책을 구입해야 하지만 지갑 사정이 안 되니 다시 도서관을 향한다.

도서관은 대여 기간이 정해져 있기 때문에 일정이 알아서 세워진다. 같은 도서관에서 여러 권의 책을 빌린다. 먼저 빌린 책부터 읽으면서 독서 일정을 짠다. 주로 일반도서/상호대차 도서/희망도서 순으로 주기가 돌아온다. 책을 자주 읽으면 웬만하면 대여 기간 안에 읽는다.

주제 하나를 정해서 파고드는 방법도 있다. 기획자의 경우 기획을 위해 같은 주제의 책을 여러 권 구해서 자료 조사를 한다. 그렇지만 이렇게 읽은 적이 없다. 그렇게 읽으면 아무래도 발췌독과 같은 부분 독서를 하기에 책 한 권을 읽었다는 깔끔한 느낌이 들지 않는다. 어떤 작가는 자료 조사를 위해 책을 구입해주는 독자에게 감사해야 한다고 한다. 그리고 보면 책을 많이 읽는 사람에게 읽히는 책의 작가는 고마움을 덜 느낄 수 있다고 생각했다. 물론 요새는 워낙 사람들이 책을 안 읽으니 한 명의 독자라도 소중하겠지만 말이다.

내가 속독을 즐기는 이유는 아직까지도 방향을 찾지 못했기 때문도 있다. 이 문제에 관해서는 아직 시간이 더 필요할 것 같다. 독서경력은 반 삼십 년이 넘었다고 자부하지만, 본격적으로 책을 읽기 시작한 것은 아직 오 년밖에 안 됐다. 이렇게 읽은 것도 대단하다고 생각할 수 있고, 실제로 주변에서도 그렇게 이야기하지만 어렸을 때부터 책을 독파하던 사람들에 비해서는 하찮게 느껴질 수 있다. 그렇다고 해서 뒤늦게 시작하는 것이 의미가 없다는 것은 아니다. 오히려 너무 일찍 시작해도 책의 진수를 맛보지 못할 수 있다. 책은 늦은 나이에 읽을수록 그 의미가 더 선명해지기 때문에 독서를 시작하는 나이는 언제든 늦지 않다.

그렇지만 작가의 입장으로는 초조함이 들기도 한다. 읽는 사람이 아니라 쓰는 사람이 되기 위해서는, 팔리기 위한 책을 쓰기 위해서는 기획자의 입장에 설 수밖에 없다. 오 년간 꾸준히 책을 읽고 있음에도 어떤 글을 써야 할지 아직도 잘 모르겠다. 그래도 여전히 책을 읽고 있고, 글을 쓰고 있으니 그것을 모으면 방향성이 정리되리라 막연히 기대한다. 삶을 전부 알 수는 없고, 내 속도 알 수 없다. 계속 탐색하며, 말할 수밖에 없다.

혼자가 되는 책 읽기

어렸을 때부터 독서를 했지만, 집중은 잘 못했다. 책을 읽으면서도 주변의 소음을 많이 신경 썼다. 그러다가 중학생 때 책을 읽는 다른 친구를 봤다. 그 친구는 몸이 안 좋아서 수술을 받느라 일 년을 늦게 진학했다. 자신의 나이를 내세우는 권위적인 스타일은 아니어서 반말을 하면서 허물없이 지냈다. 그 친구는 사람들과 잘 어울리면서도 책을 읽을 때만큼은 유독 집중해서 읽었다. 심지어 불러도 못 듣고는 했다. 그 놀라운 집중력이 신기하면서도 한편으로는 부러웠다. 그 후부터 누가 부르든 말든 책에 집중하며 읽는 사람이 되자고 생각했다.

어떻게 해야 독서에 집중할 수 있을까. 가장 좋은 방법은 책을 집중해서 읽겠다는 마음가짐이다. 이 방법이 가장 단순하면서도 효과가 있다. 내 경우에는 그렇게 마음 먹고 책을 읽으니 가능했다. 그렇지만 그게 어렵다면 독서에 집중할 수 있는 환경을 만드는 것이 필요하다. 요새는 책을 읽게 하려고 강제로 텔레비전 시청을 금지하거나 아예 텔레비전을 없애는 경우도 있다는데 그런 맥락과 비슷하다. 그렇지만 이런 극단적인 변화는 스트레스도 주므로 집중하는 시간을 천천히 늘리는 것이 좋다.

책을 읽는 행위는 혼자가 되는 빠른 길이다. 책을 읽는 장소는 의외로 제약이 있기 때문에 한정된 장소를 다녀야 하고, 책을 읽을 때는 혼자만의 시간이 필요하다. 학교에서도, 직장에서도 책을 읽으면 희귀종으로 취급한다. 그래도 예의에 어긋난 거라고 생각하는지 암묵적으로 말을 걸지 않는다. 나는 중학교 친구를 생각하며 말을 걸어주면 무시하는 멋진 모습을 보여주고 싶었는데 불러주는 사람이 없어서 생각처럼 되지 않았다.

대학교를 문예창작과로 진학했으니 좀 더 말이 통할 거라고 생각했다. 그렇지만 내가 진학한 대학은 지방대였고, 학과의 낮은 성적 컷 때문에 성적에 맞춰서 온 사람이 많았다. 그러니 독서보다는 놀기 좋아하는 사람이 많았다. 어쩌면 자신의 마음속에 있었던 문학적 감수성을 일깨우고 싶었던 사람도 있었겠으나 책을 찾는 사람은 많지 않았다. 나는 그들과 다르다고 생각하며, 대학 도서관에서 책을 빌려 읽고는 했다. 그래서 유명하다는 고전, 이를테면 프리드리히 니체의 『차라투스트라는 이렇게 말했다』를 미처 넣지 못한 척 책상 위에 전시했다. 이래야 대학의 지성인답지 않은가.

어떻게 생각하면 독서는 도피의 시간이었다. 늘 반복되는 일상에서 독서를 할 때는 그 일상에서 벗어날 수 있었다. 책에는 특별한 이야기가 있고, 꼭 그런 이야기가 아니어도 늘 흥미로웠다. 그래서 나는 장소를 가리지 않고 책을 읽었다. 버스나 지하철에서 서서도 책을 읽었다. 장거리 이동을 해야 독서에 집중할 수 있었으므로 이왕이면 멀리 이동하는 것을 좋아했다. 그래서 친구를 만나러 세 시간가량의 거리를 이동할 때 책을 꺼냈다. 어떻게 생각하면 책을 읽기 위해 친구를 만나러 간 것이다.

그토록 독서를 좋아하지만, 도서관에서 책을 읽는 것은 좋아하지 않았다. 도서관에서 굳이 사람들 사이에 비

집고 들어가서 책을 읽고 싶지 않았다. 적당한 거리를 유지할 수 있다면 도서관에서 책을 읽는 것도 좋다. 사람들은 꼭 한 칸 간격으로 띄어 앉는다. 같은 책상을 이용하더라도 대각의 자리를 골라 앉는다. 도서관에서는 원하는 책을 마음대로 골라 읽을 수 있다. 그렇지만 도서관은 사람들과 함께 있고, 그런 느낌이 어쩐지 낯선 불편함을 준다. 도서관에서 실제로 독서를 하는 사람도 드물다. 열람실도 있지만 개방감이 있다는 이유로 자료실에서 공부를 하는 경우가 있다. 그런 곳에서 평일 낮에 한 청년이 한가롭게 책을 읽는다는 것은 좀 민망한 일이다.

그 전부터 도서관은 주로 책을 빌리는 공간으로만 이용했다. 집에서 출발할 때 미리 빌릴 책을 정한 다음 도서관에 가서 생각해 둔 책을 한 번에 빌린 후 다시 집에 왔다. 이렇게 하면 거의 사람을 마주칠 일이 없다. 그러다 보니 사람을 피하는 게 익숙하다.

이십 대에는 카페도 잘 이용하지 않았다. 성인이 되기 전에는 카페 문화를 잘 몰랐다. 카페 음료는 돈이 부족한 청년에게는 꿈도 꿀 수도 없는 것이었다. 예전에는 커피를 사오천 원 주고 마시는 것을 이해하지 못했다. 그것은 순전히 주머니 사정에 의한 것이었다. 돈만 있다면 그렇게 먹고 사는 것을 누가 이해하고 말 것인가. 한편으로 2010년대까지만 해도 남자가 카페를 이용한다는 것을 이해하지 못하는 분위기가 있었다. 특히 남자 둘이 만나면 피씨방이나 술집을 가지 굳이 카페를 가지 않는다는 불문율이 있었기 때문에 나 역시 그런 눈치가 보였다.

그러다가 공감봇이라는 친구가 있는데 그 친구는 술을 안 마시기도 하고 수다를 떠는 것을 좋아해서 만나면 밥을 먹고 영화를 보거나, 카페를 가고는 했다. 지금도 이런 이야기를 하면 데이트 코스가 아니냐고 할 테지만 사람이 만나서 할 수 있는 폭은 그다지 넓지 않다. 오히려 이제는 시대가 많이 변해서 낯선 장면은 아니다. 그럼에도 여전히 남자가 어쩌고 하며 중얼거리는 것을 보면 비웃음이 나온다.

특히 모임을 가게 된 이후로는 매주 카페를 가는 것이 익숙해져서 언젠가는 혼자 카페를 갈 날도 있겠거니 했다. 물론 간혹 약속 시간이 비어서 할 일이 없을 때 드문드문 혼자 카페를 이용하기도 했으나 그때는 잠시 머무르는 것이 아쉬워서 그보다 가격이 저렴한 편의점이나 패스트푸드점에 머무르고는 했다. 그러다 혼자 카페를 간 것은 스물아홉 때였다. 그때 한창 정부 일자리 사업에 참여하고 있었는데 코로나로 인해 재택근무를 했다. 그럼에도 일과 사람 때문에 스트레스를 받았고, 그것을 풀 방법이 없어 답답해하다가 문득 카페를 가야겠다고 생각했다. 그리하여 퇴근을 한 뒤 안정제를 찾듯이 동네에 있는 카페에 찾아갔다.

마침 디지털 노마드가 되어 바깥에서도 글을 쓰겠다는 로망을 품고 인터넷에서 핫한 가성비 노트북을 구입했었다. 책은 언제나 도서관에서 빌려온 책이었다. 그렇게 혼자서 시간을 보냈다. 동네 카페는 손님의 빈도가 들쑥날쑥하여 조용할 때는 무척 조용하고, 시끄러울 때는 엄청 시끄러워 복불복이었다. 손님이 많으면 집중력이 흩어져 무선 이어폰을 귀에 꽂고 외부의 소음을 차단했다. 그 후 책을 읽으면 놀라울 만큼 집중이 잘 됐다.

고상하지만 고상하지 않은 독서

책을 읽는 시간이 많기 때문에 언제 책을 읽느냐고 물어보는 것은 의미가 없을 수 있다. 그래도 이른 아침이나 늦은 밤에는 책을 읽지 않는다. 그때는 피곤해서 책을 읽기가 힘들다. 그래서 아침에는 가볍게 읽을 수 있는 블로그에 접속하거나, 웹서핑을 한다. 밤에도 마찬가지다. 시간을 쪼개어 가며 책을 읽는 사람도 있지만 그렇게까지 하지 않는다. 물론 시간을 쪼개어 가며 읽는 사람의 사정도 알 만하다. 대부분 직장인이어서 시간이 많지 않다. 독서모임에 참여하는 사람들은 참여를 신청해 놓고 모임 전 날이나 당일에 부랴부랴 읽는다.

그런 면에서는 나는 꽤 고상한 독서를 한다. 백수는 시간 유용이 얼마든지 가능하기에 낮에 한가하게 책을 읽는다. 현대 사회에서 마음 놓고 시간을 넉넉하게 사용할 수 있는 사람은 드물다. 그런데 독서는 그런 사람을 겨냥하고 있고, 그런 의미에서 독서는 꽤 고급스러운 취미다. 경제 서적이나 자기계발서를 읽는 사람은 어쩐지 쫓기고 있다는 느낌이다. 그런 사람들의 노력을 비하하려는 게 아니다. 실상 비실용적이라고 평가받는 문학 쪽 글을 읽는 것은 매우 고급스럽다.

하루키의 글에서 책 읽는 사람은 안심이 돼서 그 사람의 곁에 앉아도 무해할 것 같다는 내용이 있다. 이건 마치 내가 한때 밀던 책 읽는 사람치고는 나쁜 사람은 없다는 말과 흡사하다. 이건 좀 맙소사다. 독서모임에도 빌런은 있는 법이고, 책의 종류도 다양하기 때문에 일반화할 수 없기 때문이다. 그렇기에 어떤 사람들은 그런 하루키의 낭만을 비웃는다. 오히려 냉정하게 말하면 책을 읽는 사람은 사회에 무관심할 가능성이 높다. 세상이 시끄러워도 시종일관 책에 파묻혀 있다. 어떻게 보면 세상에 무관심해지기 위해 책을 읽는 것 같다.

나는 독자이면서 작가라는 정체성을 갖고 있다. 작가

로서는 외출을 했을 때 주변을 살피는 관찰력도 필요하다. 그게 글의 소재가 되거나 문장이 되기도 한다. 그렇지만 나는 오로지 책을 읽는다. 책이 없으면 어떻게든 텍스트를 찾아서 읽는다. 영상도 비슷한 맥락이라 생각하기 때문에 영상이라도 상관없다. 사람들과의 접촉을 꺼린다. 실시간으로 메시지를 보내거나 주변의 풍경이나 사람을 훑어보는 일 등에 굉장히 인색하다.

그건 좀 아이러니한 일이기는 하다. 넓게 생각하면 책을 읽는 이유는 삶의 지혜를 갖고, 그것으로 사람들과 연결되기 위함이다. 책으로 접하는 삶은 비좁은데, 대체로 읽은 책 위주로 세상을 판단하는 경우가 있다. 책을 읽지 않는 시간에도 어떤 사물이나 대상, 현상에 대해 그것들을 내 관점으로 요목조목 비틀고 확인하면서 그것의 감상을 머릿속으로 정리한다. 책을 읽지 않을 때조차도 독서를 한다.

지금은 주로 인근의 지역 도서관과 대학 도서관을 이용하고 있다. 도보로 멀지 않아 두 도서관의 책을 한 번에 빌릴 때도 있다. 그러면 보통 지역 도서관에서 7권, 지역 상호대차 도서 3권, 대학 도서 3권을 빌릴 수 있다. 예전에는 한꺼번에 빌려서 읽으려고 아예 꽉 채워서 빌릴 때도 많았다. 그러면 2주 안에 이 책을 다 읽어야 했다. 그래도 요새는 여러 가지 활동을 하다 보니 다소 느슨하게 잡아서 각 도서관에서 3권 정도만 빌려 읽는다. 어떤 때는 책을 읽는 데에만 시간이 훅 지나가 대출 기한을 연장할 때도 있다.

모임을 하면서 고정적으로 읽어야 하는 책이 종종 있다. 사회학 독서 모임에서는 한 달에 한 번 진행하는데, 주로 2주 전에 책을 읽고 발제를 준비하기 때문에 일정을 미리 체크해서 읽는다. 지역 독서모임의 경우는 매주 책을 읽고 나가야 하는데, 지정도서는 한 달에 한 번이므로 상관없지만 자유도서도 모임의 분위기에 어울리는 책을 골라서 읽어야 한다. 때문에 따로 일정을 두기도 한다. 또 서평을 요청받아 쓰는 경우도 있으므로 그럴 때는 앞당겨 읽어야 하는 책도 있다. 그래서 때로는 고상하지만 때로는 고상하지 않은 독서다.

최근에는 최소 독서치를 정해두었다. 평일에는 100페이지 정도 읽는 것을 목표로 했다. 마음만 먹으면 하루에 한 권을 읽는 것도 가능하지만 다른 일정이 있으면 그것

이 어렵기도 하고, 역으로 그것에 너무 매몰되면 다른 일
정에 차질이 있을 수 있기 때문에 조절하게 된다. 해야 할
최소의 일은 오전에 끝내자는 주의다. 독서를 오전에 끝
내면 이후 어떤 작업을 해도 부담 없이 할 수 있다는 점에
서 좋다. 그러면서도 차곡차곡 결과물이 쌓이니 나중에
돌아보면 뿌듯하다. 요새는 타이머까지 활용하면서 휴식
과 병행하면서 하고 있다. 이건 몸의 건강을 위해 필요하
다. 아무리 고상하게 책에 미쳤다 하더라도 오래 책을 읽
으려면 건강관리는 필수다.

책을 읽기 위한 가장 유용한 물건

책을 읽는 데에는 책만 있으면 된다지만 그러면 여러모로 불편한 순간이 있다. 특히 읽는 자세가 불편하면 독서에 오래 집중할 수가 없다. 누워서 책을 읽기도 하지만 무거운 책은 누워서 읽기 어렵다. 그럴 때는 전자책으로 읽는 방법도 있지만 그런 책은 전자책에 없는 경우가 많다. 그럴 때는 책상에 앉아 책을 읽는다. 기본적으로 책상에는 모니터가 있기에 책을 읽을 공간을 확보하기 위한 모니터 받침대나 모니터암은 필수다.

침대에서도 앉아서 책을 읽어야 할 때가 있다. 그럴 때는 간이 책상이 좋다. 책의 무게는 가벼운 편이기 때문에 오래 들고 있어도 부담이 될 것 같지 않다. 그렇지만 책은 한 번 집으면 장기간 들고 있어야 하기 때문에 받칠만한 것이 필요하다. 그럴 때는 간이 책상만큼 유용한 것이 없다. 이동이 편리하기 때문에 꼭 침대 위가 아니더라도 어디에서나 쓸 수 있고, 시중에서 저렴한 가격에 구매할 수 있다.

가장 초점을 맞춘 것은 가격이다. 모니터 받침대와 간이 책상 모두 각각 만 원 이내에 구매할 수 있는 것들이다. 둘 다 욕심을 낸다면 더 좋은 재질과 예쁜 디자인의 상품을 고를 수도 있을 것이다. 그렇지만 독서 자체가 돈이 크게 나가지 않는 저렴한 취미이기 때문에 주변 물품을 비싸게 구입할 필요가 있을까 싶다.

이 정도는 대단한 팁이 아니다. 유명한 독서가들은 독서를 위해 따로 자리를 만든다. 그런데 나는 거기에 의문을 품는다. 자신의 독서 자리를 가질 정도라면 이미 자기만의 공간을 가진 사람이다. 그 공간을 꾸밀 수 있을 집이 있다는 것이다. 그런 공간을 마련하는 것은 마치 혼자 사는 연예인이 출연하는 텔레비전 프로그램에서 연출된 장면과 같다. 그런 로망은 투룸 이상의 자취방이 있어야지 가능하지 않을까 싶다.

요새는 인터넷을 통한 정보 공유도 활발하게 이루어지다 보니 집이나 방을 꾸미는 데에 그렇게 큰 비용이 들어가지 않는다고 한다. 디자인에 필요한 것은 돈만이 아니라 미감이나 시간이다. 그런 사람이라면 책을 읽을 자리 정도는 쉽게 꾸밀 수 있을 것이다. 그렇지만 나는 사실 그런 자리가 없어도 꾸준히 책을 읽었으므로 그런 공간이 당장 필요한가 싶다.

나는 공간 활용이 비효율적인 편이다. 공간 내부를 어지럽히지는 않지만 공간의 쓰임새를 딱히 정하진 않았다. 책장이라고 해봤자 2단으로 된 원목이 전부이고, 심지어 그 위에 프린터를 올려 놓았다. 그래서 책을 꺼내려면 허리를 숙여서 꺼내야 한다. 미관으로도 효용으로도 아주 안 좋지만 잘 이용하고 있다. 책장의 1층은 내가 좋아하는 책들을 진열해 두었다. 2층에는 서류 더미와 엽서, 메모지, 사용하지 않는 탁상달력과 도서관에서 빌린 책이 꽂혀 있다. 막상 정리 안 된 책장을 보니 난감하기는 하다.

사람들은 책을 받쳐놓기 위해 독서대를 사용한다. 자신에게 맞는 제품을 찾아서 쓴다면 굳이 그것이 틀렸다고 하고 싶지는 않다. 오히려 좋은 성능의 제품이 있다면 한번 사용하고 싶은 마음도 있다. 그렇지만 결정적으로 독서대는 들고 다녀야 하는 불편함이 있다. 무겁기도 하고, 챙기는 걸 잊어버릴 수 있다. 아무리 유용한 아이템이 더라도 짐이 되면 안 좋다.

그렇지만 독서대는 필요하다. 독서를 하는 사람 대부분은 독서대가 없으면 목을 아래로 숙이고 읽어야 하기 때문에 목에 많은 부담을 준다. 이때 독서대를 대체할 수 있는 물건이 바로 책이다. 책 세네 권 정도를 쌓은 뒤 그 위에 책을 올려놓고 읽으면 된다. 이렇게 하면 책을 드는 부담이 줄어든다. 더군다나 개인의 자세나 책상의 높이에 맞춰서 책 높이를 조절할 수 있으니 좋다. 언젠가 책을 쌓아두고 있다가 읽는 자세가 불편해서 사용하게 된 방법인데 의외로 효과가 있었다. 집에서나 도서관에서 언제든 사용할 수 있고, 책을 들고 다닌다면 카페에서도 사용할 수 있다.

읽지 않는 책을 라면 받침으로 사용한다는 밈이 떠돈다. 아니면 균형이 안 맞는 책상의 높이를 조절하기 위한 디딤대로, 요새는 모니터 받침대나 발판으로 책을 활용하기도 한다. 안 읽히는 책이라 하더라도 나 역시 주변에서 그런 장면을 보면 책이 아깝게 느껴진다. 그렇지만 책을 읽기 위해 책을 받쳐놓는 것 정도는 임시방편이니 괜찮지 않을까 싶다.

다만 요새는 코로나 이후 책의 위생도 생각할 만한 문제이기는 하다. 요새는 도서관에서 한 번만 꺼낸 책도 사람들의 손을 탔기 때문에 바로 서가에 꽂지 않고 반납함에 두어야 한다. 그렇게 둔 책은 사서가 일일이 다 소독해야 한다. 애초에 읽지도 않을 책을 개인의 편의 때문에 멋대로 꺼내는 게 민폐일 수 있다. 그런 때는 굳이 책을 받치기 위해 읽지 않을 책을 꺼내지는 않는다. 그렇기에 대부분 읽을 책만 독서대로 활용한다.

사실 이 문제는 전자책 하나로 해결이 된다. 전자책은 휴대하기에도 좋고, 어디에서나 읽을 수 있기 때문에 간편하다. 주로 전용 전자책 단말기가 선호되기는 하지만 태블릿으로 읽어도 되고, 심지어 핸드폰으로도 읽을 수 있다. 물론 다른 독서가들은 종이책이 아니면 안 된다고도 하고, 그 마음을 이해하기도 한다. 그래도 효용을 따지면 전자책을 능가하기가 어렵다. 애초에 책도 잘 읽지 않는 시대에서 전자책을 선호하는 것도 이해해야 하지 않을까 싶다.

독서광의 전자책

　모든 책이 전자책으로도 나왔으면 좋겠다. 독자의 입장에서는 들고 다니기 편하고, 가격도 저렴하다. 현재는 작가와 출판사의 이해관계에 따라 안 나오는 경우도 있다. 나는 전자책을 가끔 애용한다. 뚜벅이로 다니는 경우 종이책은 무게가 부담이 된다. 책을 많이 읽으면 두세 권은 들고 다녀야 하므로 무게가 만만치 않다. 전자책으로 읽으면 전자책 단말기나 태블릿 하나로도 충분하다.

　전자책을 사용하는 사람이라면 전자책 단말기를 선호할 것이다. 전자책 단말기는 전자잉크를 사용하기 때문에 책을 읽을 때 눈의 피로가 덜하고, 불필요한 기능이 없기 때문에 무게도 일반 태블릿보다 훨씬 가볍다. 그리고 단말기로는 딴짓을 할 수 없다는 의외의 장점도 있다. 태블릿은 정확히 이런 전자책 단말기의 장점의 반대편에 있다.

그렇지만 전자책 단말기의 경우 전자잉크를 사용하기 때문에 때로는 속도가 느리다. 내 경우에는 속독을 하는 편이기에 때로는 그 속도를 따라잡을 수도 없어 답답할 거라는 생각이 든다. 그리고 단말기 구입을 위해 별도의 비용을 지출해야 한다. 태블릿은 사용하지 않아 집안에 굴러다니는 것을 활용할 수 있다. 나 역시 태블릿을 사놓고 한동안 사용하지 않다가 전자책을 읽는데 사용하고 있다. 태블릿은 다른 기능을 사용할 수 있어서 좋다. 집에서 누워서 영상 시청을 하기에 좋다.

일반적으로 사람들은 큰 태블릿을 선호하지만 그만큼 무겁기 때문에 작은 크기도 충분하다. 보통 책을 읽거나 영상을 보는 경우에는 8인치의 태블릿으로도 충분하다. 그 이상으로 크면 노트북을 쓰는 게 낫지 않을까 싶다. 전자책을 읽는다면 태블릿도 고려해보기를 권한다. 물론 이건 주관적이기 때문에 전자책 단말기를 매장에서 사용해 보고 비교하는 것이 좋다. 그리고 8인치 태블릿은 인기가 적어 종류가 적은 편이다.

결국 전자책을 읽기 위해서 크기에 맞는 태블릿을 따로 구입해야 할 수 있다. 아무래도 전자책을 읽기 위해서는 작은 화면의 태블릿이 좋다. 만일 독서를 위해 태블릿을 사려는 사람이 겸사겸사 큰 태블릿을 사려고 한다면 만류하고 싶다. 물리키로 화면을 넘기는 게 아니라면 다음 페이지를 넘길 때 한 손에 태블릿을 쥘 수 있냐 없냐는 차이가 크다.

다르게 생각하면 핸드폰으로 책을 읽어도 되지 않나 하는 의문이 있을 수 있다. 나도 책과 태블릿을 챙기지 않았을 때는 가끔 핸드폰을 이용하기도 한다. 핸드폰도 설정만 잘한다면 생각보다 괜찮다. 그렇지만 핸드폰은 왠지 집중이 잘되지 않는다. 기본적으로 독서에 집중할 수 있는 사람이라면 이런 단점은 상쇄할 수 있다. 그럼에도 핸드폰은 워낙 사용처가 많아 이따금 분리의 필요성을 느낀다. 태블릿으로 책을 읽고, 필요할 때 핸드폰을 이용하는 것이다. 와이파이만 있는 태블릿이 분리가 되고, 더 저렴하기 때문에 괜찮다. 태블릿의 알림도 방해될 수 있기에 웬만하면 태블릿의 알림은 전부 끄고 독서에 집중하는 편이다.

전자책이 장점만 있는 것은 아니다. 어쩐지 전자책으로 읽으면 더 집중이 되는 듯하면서도 그렇지 않아 페이지를 금방 넘기는 경우가 있다. 그리고 기기 성능에 따라 피로도가 다르기는 하다. 내 경우에는 비싼 태블릿은 아니기 때문에 가끔 책의 구절을 캡처하기 위해 태블릿 화면을 찍으면 내 얼굴이 비춰지는 경우가 있다. 이게 아마도 부품 단가의 문제이지 않을까 싶다. 이런 것이 거슬린다면 전자책 단말기나 비싼 제품을 사는 것도 방법이다.

나는 책에 돈을 들이는 편은 아니다. 전자제품도 마찬가지다. 예전에는 그래도 전자기기를 살 때 이왕이면 비싼 것을 사야지 싶지만, 요새는 거의 상향평준화 되어서 웬만한 기능은 다 쓸 수 있다. 나는 디지털에 가까운 세대이지만 어느 정도는 아날로그에 가깝기도 하다. 특히 책을 읽는 것을 생각하면 더 그렇다.

요새는 버스나 지하철에서 책을 읽는 경우가 드물어졌다. 나 역시도 요새는 이동시간에 책을 읽지 않는 편이다. 만일 할 일이 많아져서 독서 시간이 줄어든다면 짬짬이 시간을 내기 위해서라도 책을 읽지 않을까 싶다. 그때는 전자책을 애용하지 않을까 싶다.

구독형 도서 어플의 딜레마

　요즘은 구독형 도서 어플이 많아져서 책을 읽는 여건도 더 좋아졌다. 그렇지만 새로운 것이 있으면 사라지는 것도 있듯이, 서점이 도서 어플에 밀릴 거라는 전망이 있다. 그에 관한 이야기를 할 수도 있지만 도서 어플의 효용에 관해 이야기하고 싶다. 구독 시스템은 소비자 입장에서 저렴한 비용으로 편의를 제공받고, 기업의 입장에서는 충성심 있는 소비자를 확보하기 위한 것이다. 넷플릭스는 DVD를 우편으로 받고 간편하게 반납하는 구독 서비스로 시작했다가 세계적인 스트리밍 플랫폼으로 성장했다. 그만큼 잠재력이 있는 시장이다.

　물론 영상과 책의 단순 비교는 어렵다. 영상의 경우에

는 가볍게 보는 것을 선호하므로 구독제가 효용이 크다. 반면에 책을 구독제로 서비스하는 데에 대한 효용에 대해 의문은 있다. 책을 편하게 읽을 수 있다는 장점은 이미 전자책만으로도 할 수 있는 일이다. 원하는 책이 꼭 도서 어플에 있는 것도 아니다. 더군다나 충실한 독자라면 비용이 들거나 불편해도 책을 사 읽거나 빌려 읽지 굳이 구독 서비스를 사용할까 싶다.

구독 서비스를 잘 이용한 경험이 두 번이 있다. 한 번은 인근에 도서관이 없는 곳에 장기 숙박을 해야 할 때 처음으로 사용했고, 두 번째가 코로나 때였다. 코로나 초기에는 도서관 이용이 아예 금지됐다. 나중에 지정한 날에 예약하여 빌리는 식으로 제한을 두었다. 사실상 제한이 심해서 책을 빌리기가 어려웠다. 살면서 그렇게 오랫동안 도서관을 출입할 수 없는 시기는 처음이었다. 그래서 그 대안으로 떠오른 것이 도서 어플이었다.

그렇지만 구독 서비스를 보면서 깨달은 것은 생각보다 읽을 책이 없다는 것이다. 내 경우에는 인문학, 사회학, 에세이, 소설 등을 즐겨 읽는데 이 중에서 양질의 책이 입고되기 바랄 수 있는 분야는 에세이 밖에 없다. 왜냐하면 나머지 분야에서 입고되는 책들은 대부분 유명해져서 구독 서비스로 풀어도 된다고 판단할 때만 푼다. 그런 책은 나 역시 이미 종이책으로 읽었을 것이다.

그러니 신간을 들여와도 종이책으로 이미 몇 달 전에 나온 책이라는 것을 감안하면 실제로 입고되는 신간은 많지 않다. 물론 출판사의 입장도 이해가 된다. 그러니 어플에서도 어쩔 수 없이 고만고만한 책을 들여오는데 그러면 오히려 독자의 만족도는 떨어질 수밖에 없다. 신간 소식을 알려주는 게시물을 볼 때마다 읽을 만한 책이 없다는 댓글을 보기도 한다.

물론 찾아보면 읽을 만한 책이 있을 것이다. 밀리의 서재가 초창기에 출시되었을 때 업로드된 책을 전부 확인하고 그중에 읽을 책을 확인한 뒤 한 번에 몰아서 읽었다. 그런데 대부분의 사람은 읽을 수 있는 책이 있는지 확인하는 것도 시간을 들여야 하기 때문에 대부분 신간이나 큐레이션을 주목할 수밖에 없다. 아니면 읽고 싶은 책이 생겼을 때 혹시나 있는지 확인하는 정도이지 않을까 싶다. 실제 소장 중인 책이 많은 것도 아니다. 유명 도서 구독 어플에서는 십여만 권을 소장 중이라고 홍보하는데,

보통 괜찮은 지역 도서관에 있는 책 소장량이 그 정도다.

물론 책 한 권의 가격으로 십만 권의 책을 언제나 빌려 읽을 수 있는 것은 좋다. 전자책에 거부감이 없다면 더 그렇고 말이다. 그런데 과연 어플을 구독한다고 하더라도 책 한 권이라도 읽을 수 있을까 하는 의문도 있다. 사실 책값도 책값이지만, 책을 읽는 데에 들여야 하는 시간이 문제다. 도서 어플이 독서 시간을 줄여주지는 않는다.

책을 읽을 여유가 있는 사람에게는 도서 어플이 필요 없다. 그냥 책을 사거나 빌려 읽으면 된다. 그렇지만 이제 막 책에 관심을 두려는 사람에게는 도서 어플이 도움이 될 수 있다. 내 경우에는 읽고 싶은 책은 다른 경로를 통해 웬만큼 섭렵하므로 도서 어플이 그렇게 매력 있다고 느끼지는 않는다. 도서 어플도 양질의 책이 꽤 많으니 독서 경험이 많지 않은 사람에게는 도서 어플에 있는 책만으로도 충분하다.

내 경우에도 웬만한 책은 인근 도서관에 소장되어 있고, 그게 안 된다면 상호대차 기능이 있기 때문에 굳이 책을 구입할 일이 없다. 그래도 우선 접근성이 좋으니까 전자도서관 위주로 먼저 책을 찾아본다. 예전에는 혹시 몰라 읽고 싶은 책이 도서 어플에 있는지도 확인했는데 지금은 그렇게 하지 않는다. 어차피 당분간 구독할 일이 없다고 생각하기에 미룬 것이다. 요새는 도서 어플을 쓰면 읽을 책이 더 늘어나기만 해서 당장 읽어야 할 책만 해도 벅차기 때문에 읽기를 미루고 있다. 나에게 도서 어플은 여러모로 효용이 없다. 그렇지만 사람마다 상황이 다르므로 선택은 독자의 몫이다.

미친 독서중독자의 일기

발행일 2024년 8월 1일
지은이 추승현
펴낸이 추승현
표지 디자인 곽다인
펴낸곳 수다판
이메일 diaaid@naver.com

ISBN 979-11-980622-3-9(03810)